Karin Groß

41 leichte Klavierstücke

41 easy piano pieces

Illustrationen /Illustrations: Wolfgang Steinmeyer

Die Audiodateien können unter

https://download.holzschuh-verlag.de

nach Eingabe des Download-Codes
kostenlos heruntergeladen werden.

Download-Code: 6a4k-hjnas

Wir empfehlen den Download mit einem PC oder Mac, da die Dateien
in einem ZIP-Archiv vorliegen und erst entpackt werden müssen.

Impressum

VHR 3419 / ISMN 979-0-2013-1102-9 / ISBN 978-3-86434-185-4

Notensatz: Karin Groß, Dortmund

Aufnahme und Bearbeitung der Audiofiles: Christoph Schulz, MUSICOM, Münster
Einspielung: Karin Groß, Dortmund

Illustrationen: Wolfgang Steinmeyer, Waltenhofen
Umschlaggestaltung: Gerhard Illig, Schwaig bei Nürnberg
Foto: Peter Leßmann, Münster

www.holzschuh-verlag.de

INHALT CONTENTS

VORWORT

Der große Zuspruch, den ich zu **Tierisch klavierisch** und **Klein, aber fein!** erfahren habe, hat mich zum Schreiben eines weiteren fröhlichen Notenbuchs für die erste Zeit am Klavier motiviert.

Die kleinen Charakterstücke erzählen Geschichten aus dem prallen Leben, von der friedlichen Schönheit der Natur ebenso wie von der Hektik der Stadt. Es begegnen uns fiese Monster und galoppierende Pferde, wir erleben die Jahreszeiten, tanzen Walzer, holpern über Kopfsteinpflaster, besuchen ein Dorffest und vieles mehr ...

Spannende Titel regen das musikalische Empfinden an und animieren zu lebendigem Spiel. Die Kompositionen sind eingängig und von einfacher Struktur, trainieren Bewegungsabläufe und Muster und beschränken sich dabei wieder auf jeweils nur wenige spieltechnische Aspekte innerhalb eines Stücks. Die Sammlung eignet sich sehr gut als Ergänzung zur Klavierschule und begleitet Schülerinnen und Schüler mit viel Spielfreude durch die ersten Jahre am Klavier.

Viel Freude und Fortschritt mit **Avanti Musicanti** wünscht

Karin Groß, Dortmund 2023

PREFACE

The enthusiastic response to **Pianimals in Motion** and **Smartly Simple!** motivated me to write another cheerful volume of piano music for pupils in the early stages of learning.

The little character pieces tell stories from life in all its colour, ranging from the peaceful beauty of nature to the hustle and bustle of city life. We encounter nasty monsters and galloping horses, experience the seasons, dance waltzes, stumble along over cobblestones, go to a village fair and much, much more.

Imaginative names for the pieces provide the stimulus for musical sensitivity and encourage a lively performance. Catchy and with a simple structure, the compositions give pupils practice in patterns and hand movement sequences, with each one again focusing on just a few technical aspects. The collection of pieces will go very nicely hand in hand with piano tutor books and will help pupils in the early years to appreciate the joys of playing the piano.

I hope you have much fun and make much progress with **Avanti Musicanti**.

Karin Groß, Dortmund 2023

Sternenhimmel

Starry Sky

Karin Groß

Poltergeister

Poltergeists

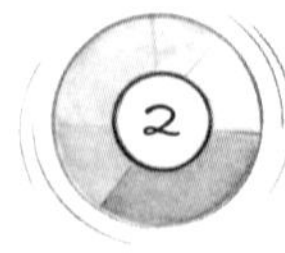

Schelmisch
Mischievously

Karin Groß

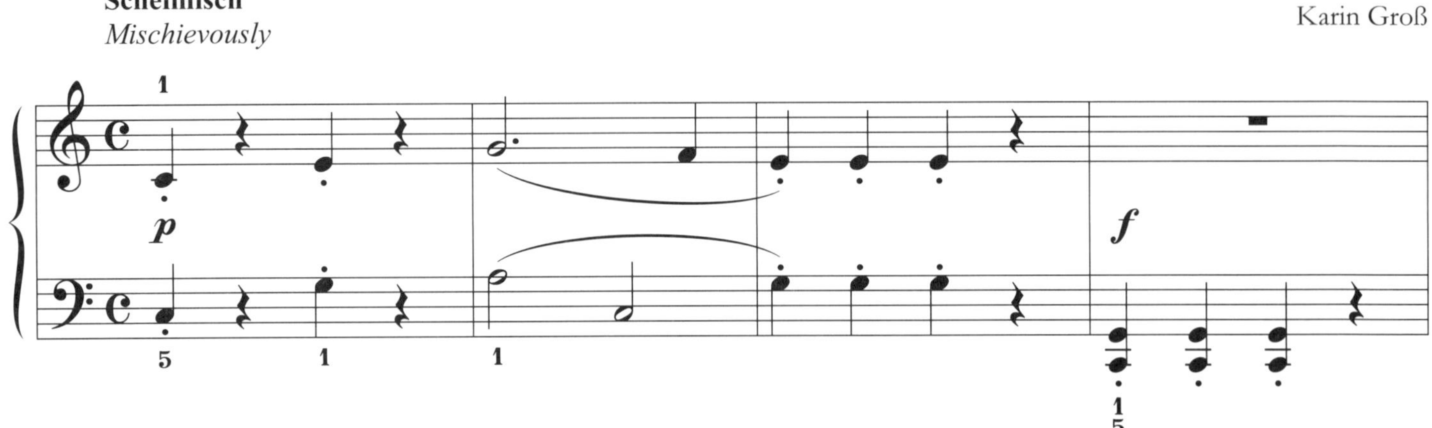

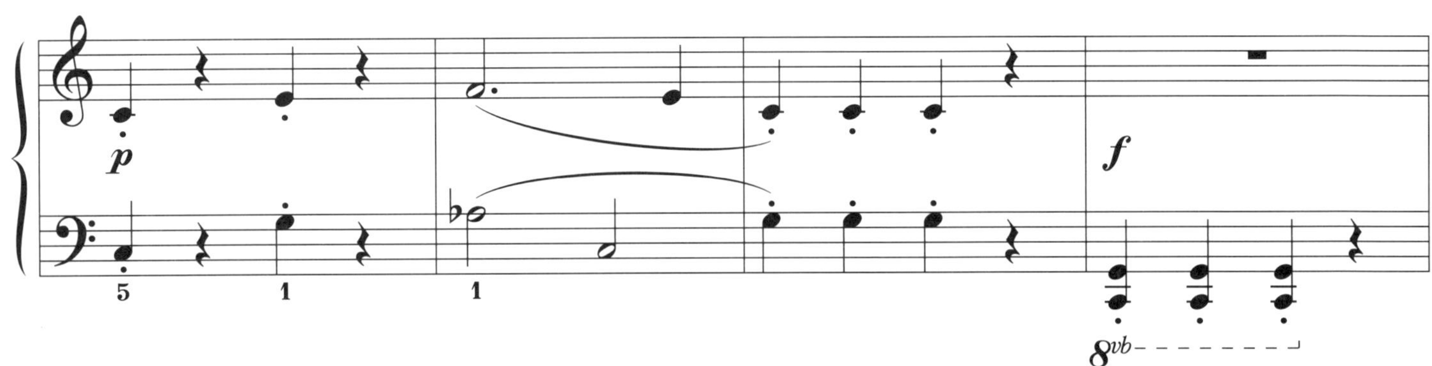

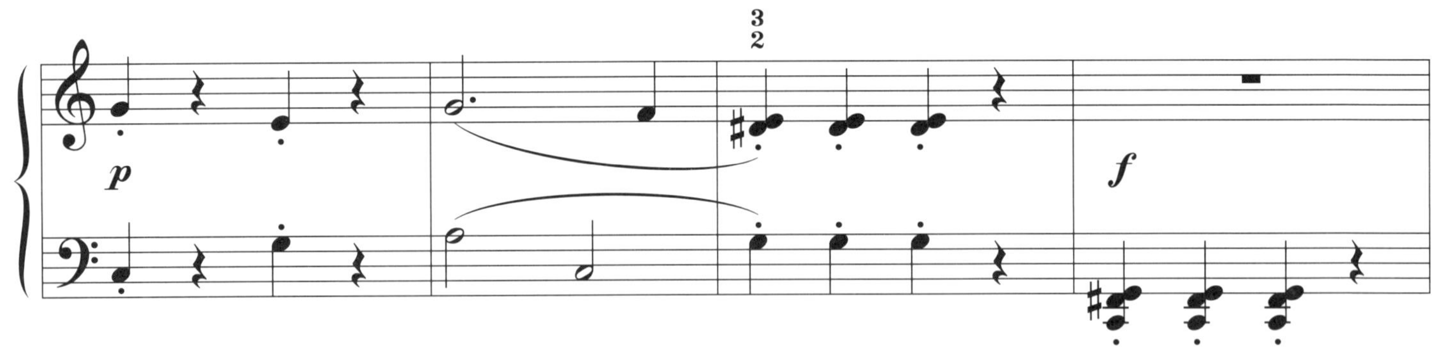

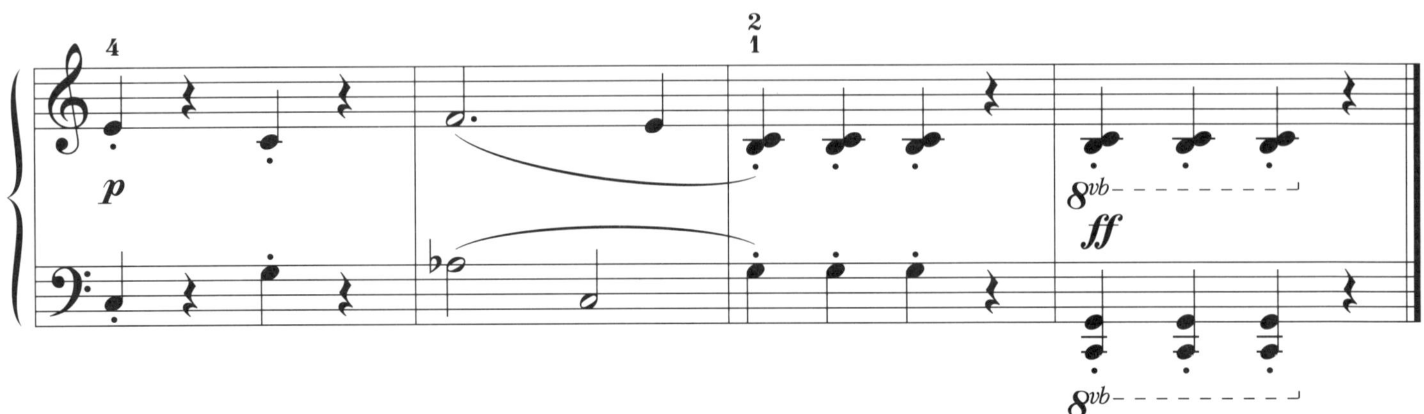

Am seidenen Faden
Hanging By A Thread
3
Zart
Delicately
Karin Groß
p
rit.
pp
8va

Die Piratenbande

The Band Of Pirates

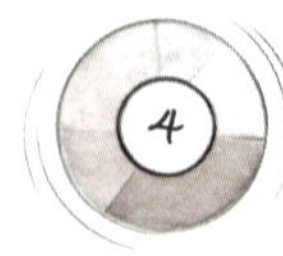

Ungehobelt
Roughly

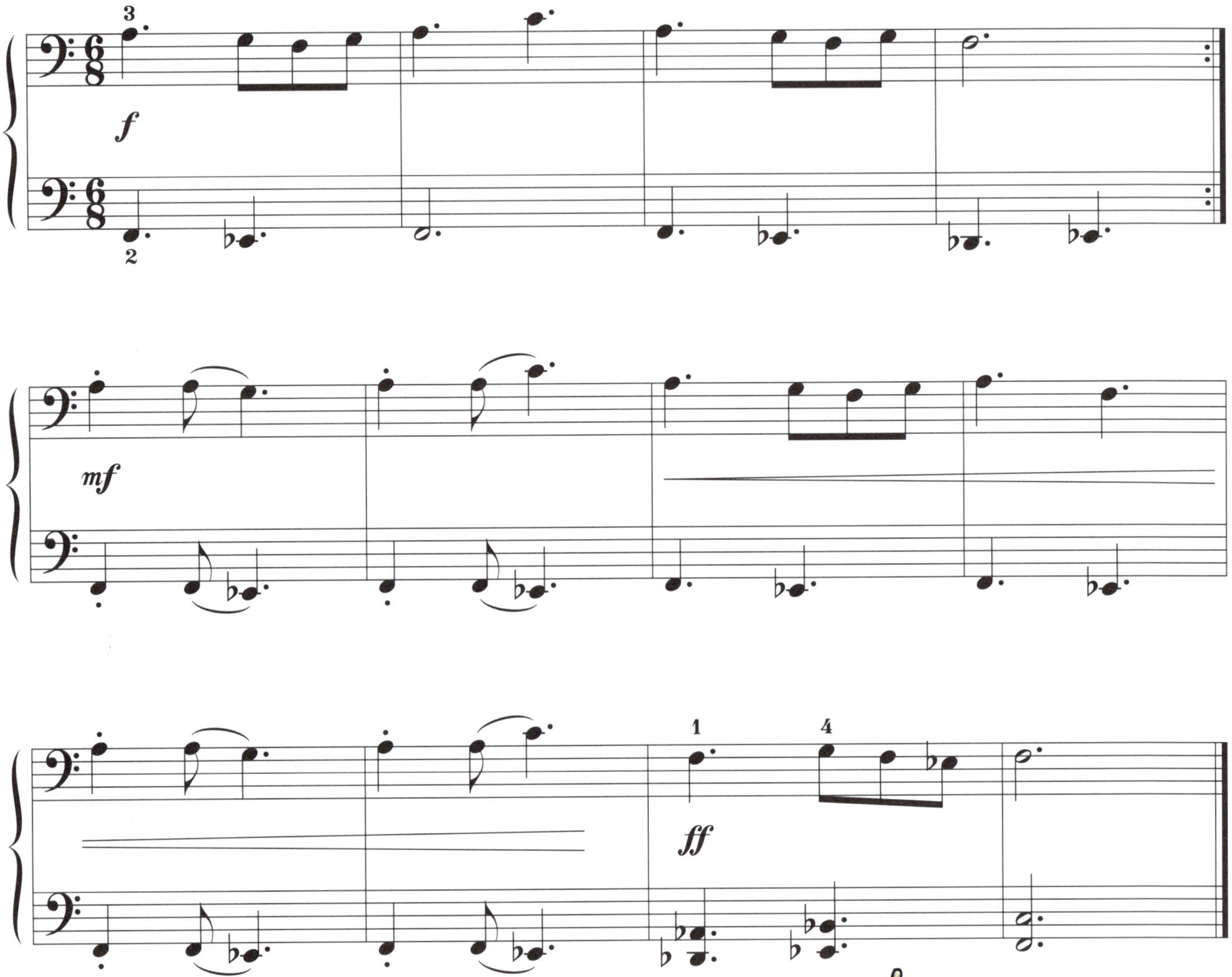

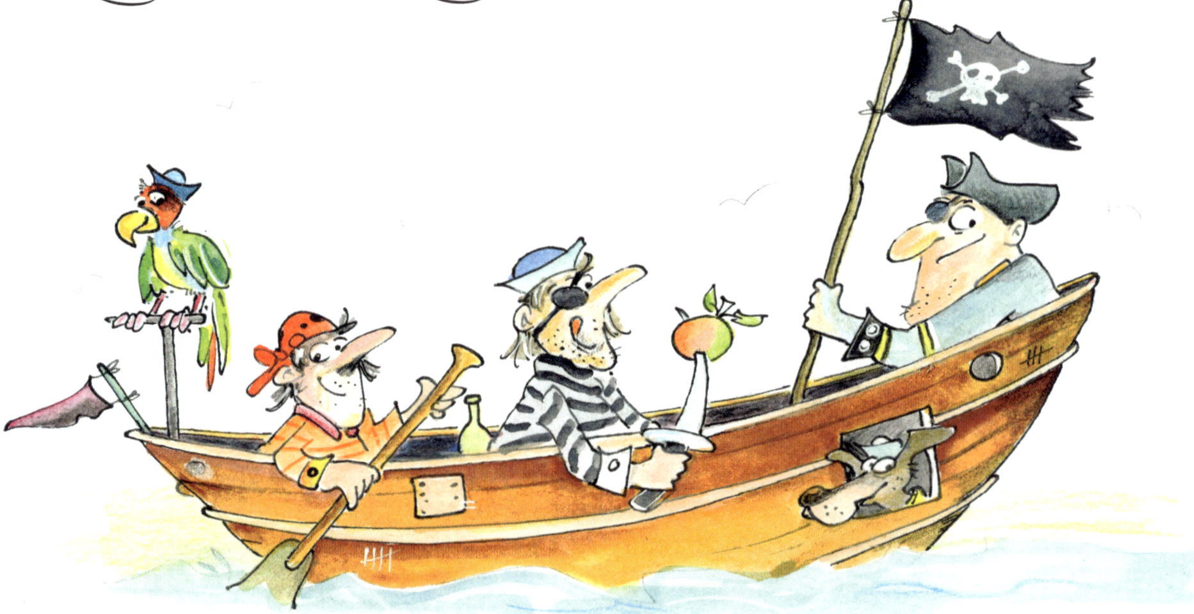

Karin Groß

Im tiefen Winter

In The Deep Winter

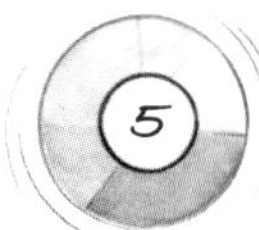

Müde
Wearily

Karin Groß

mf

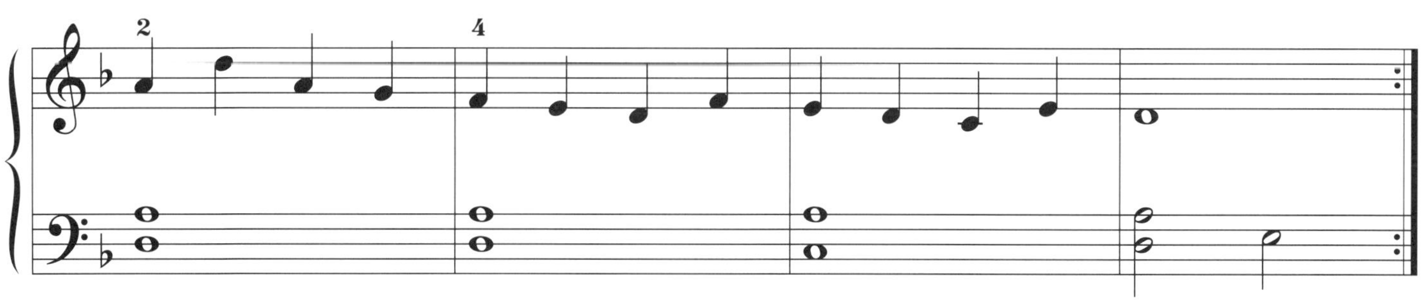

Die alte Wohnzimmeruhr

The Old Mantelpiece Clock

Gemütlich
Unhurriedly

Karin Groß

Spiegelglatte See
Smooth As A Millpond

Karin Groß

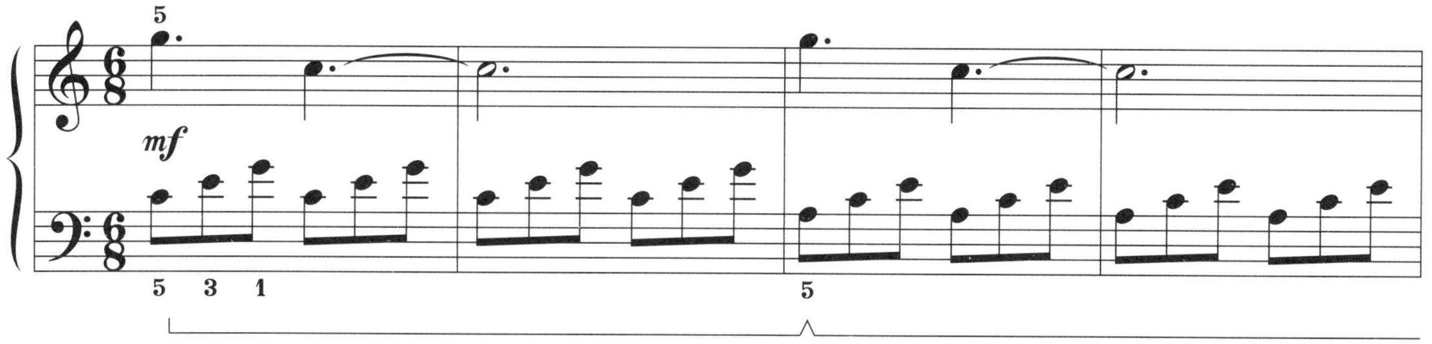

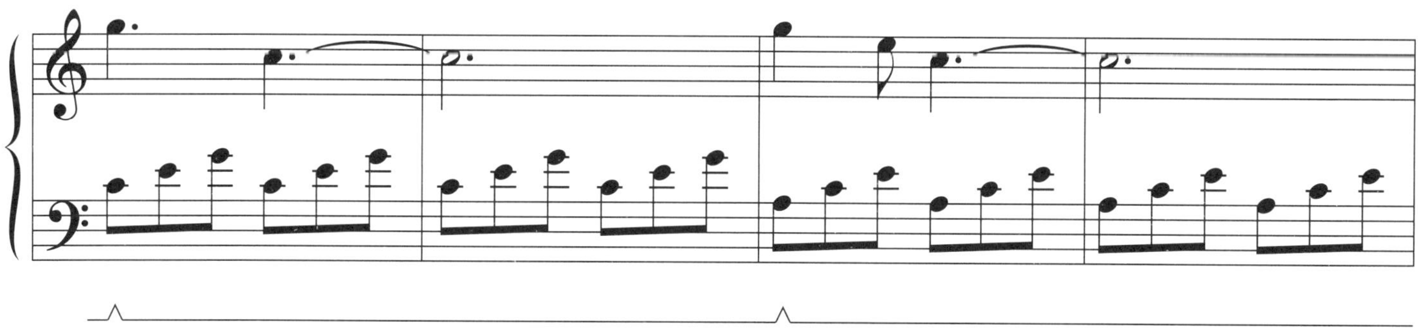

Nickerchen im Schaukelstuhl

Forty Winks In A Rocking Chair

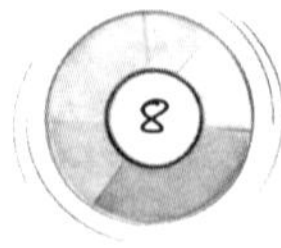

Sanft
Softly

Karin Groß

Schäfers Abendlied

Shepherd's Evening Song

9

Karin Groß

Friedvoll
Peacefully

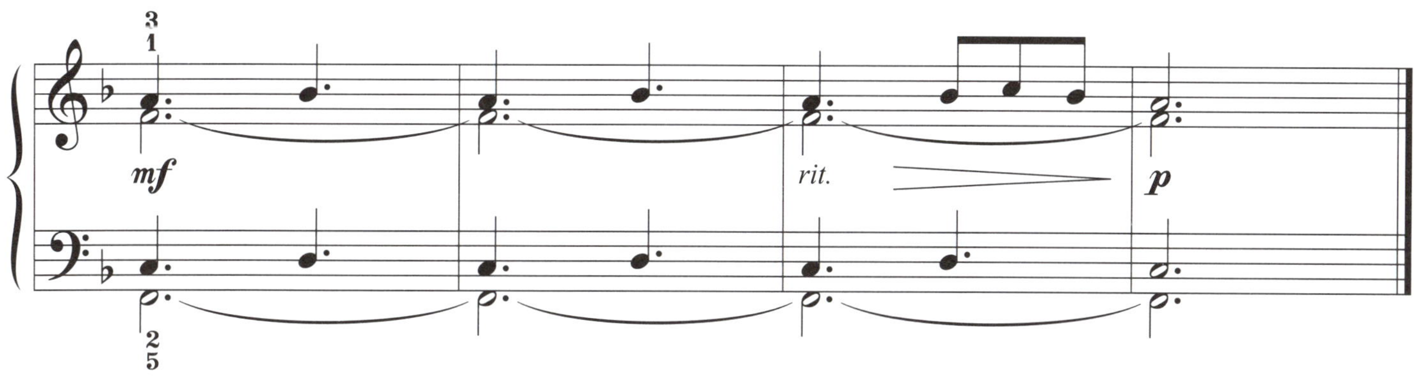

Die kleine Schwester

The Little Sister

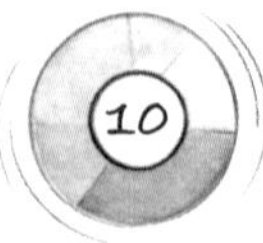

Karin Groß

Liebenswert
Endearingly

3 1 *p* 2

3
1
p
2

5

Kopfsteinpflaster

Cobblestones

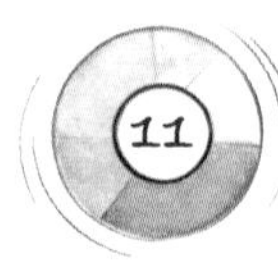

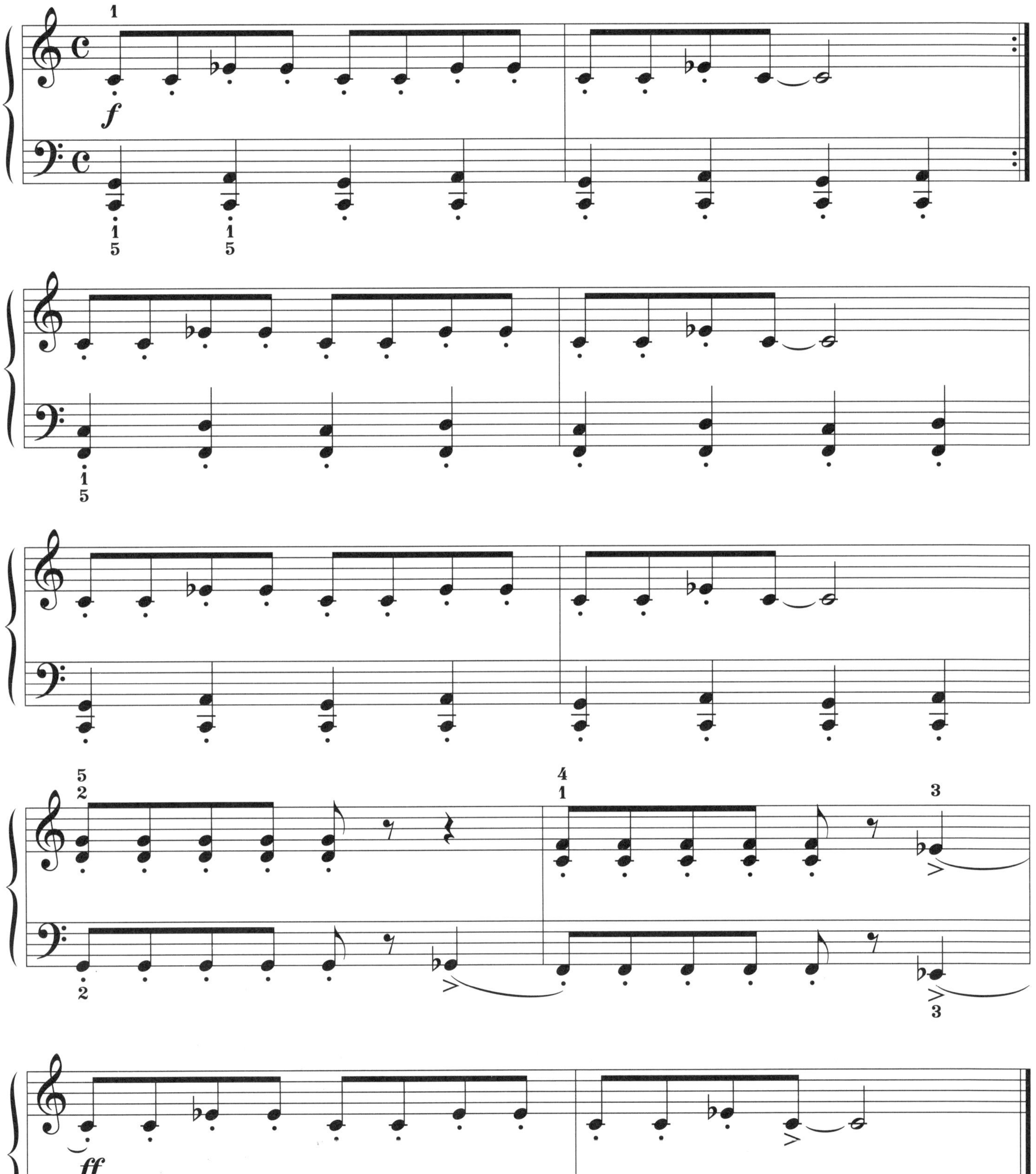

Karin Groß

B-Vorzeichen-Blues

Flats For A Blues

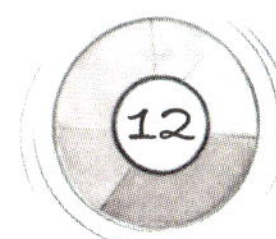

Karin Groß

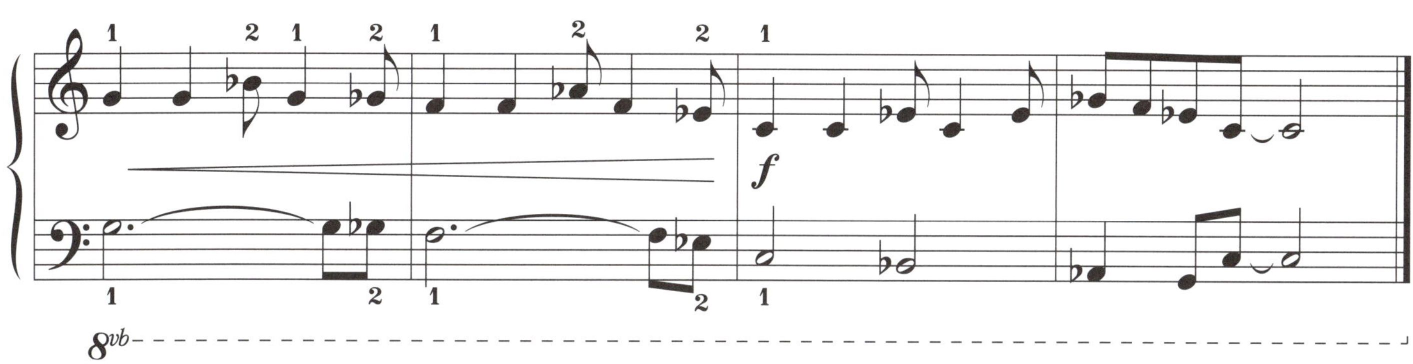

Der Fiese-Monster-Marsch

The Nasty Monster March

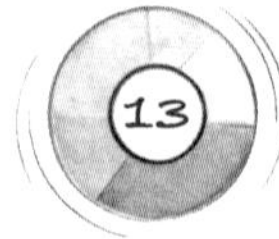

Plump
Ungracefully

Karin Groß

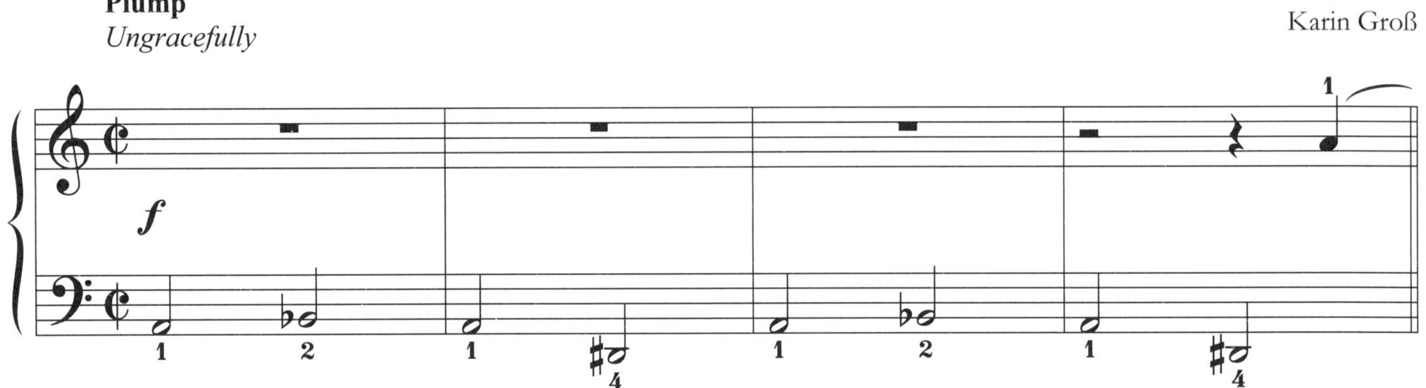

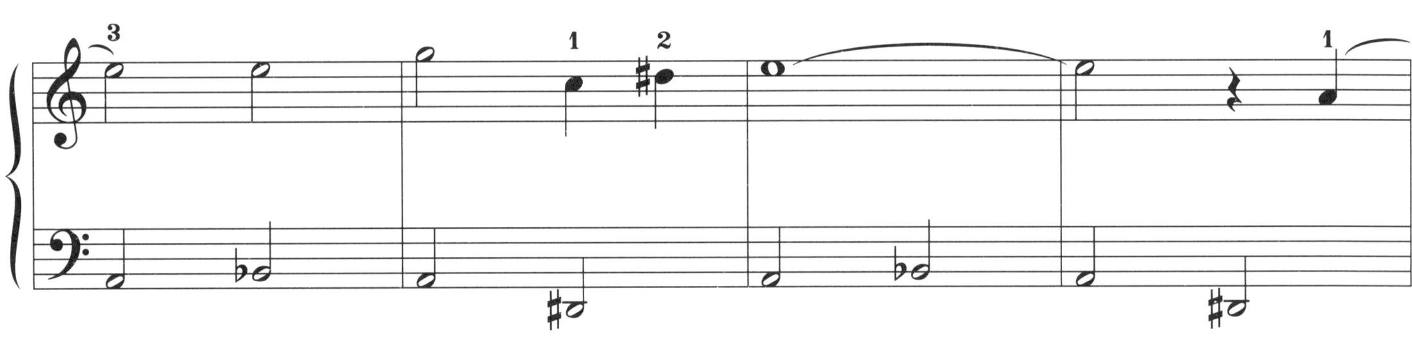

2
1
4
1
3
3
2
3

Zähneputzen

Brushing The Teeth

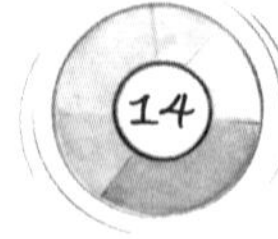

Energisch
Energetically

Karin Groß

Fine

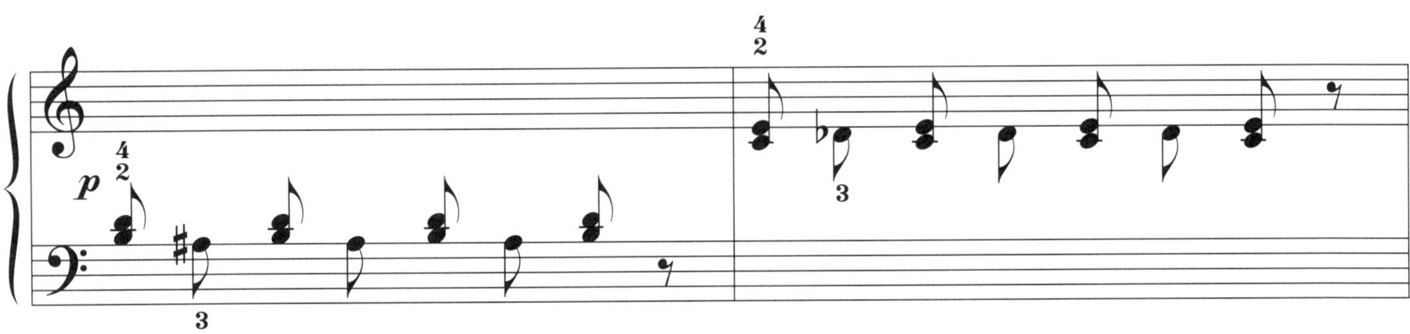

D.S. al Fine

Regen, Regen, immer nur Regen

Rain, Rain, Just Constant Rain

Karin Groß

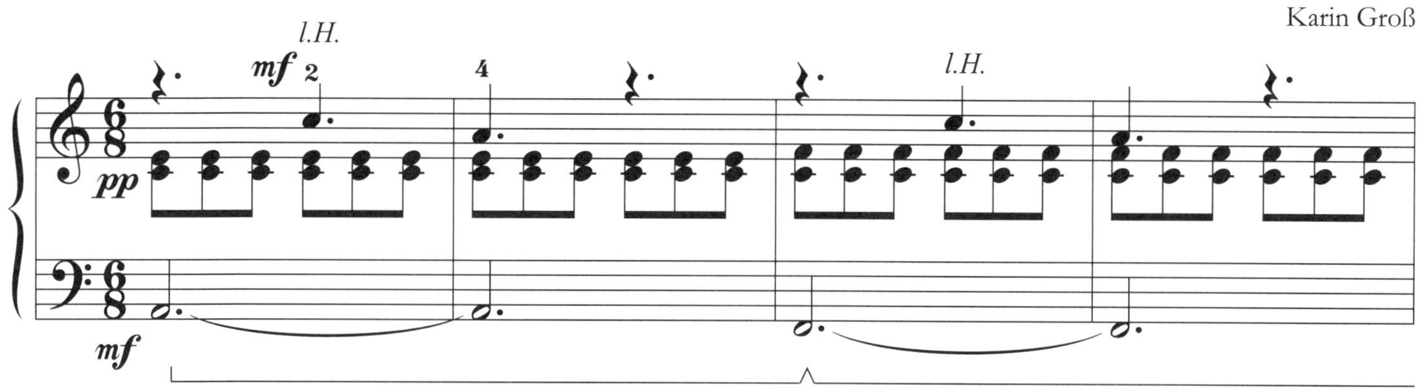

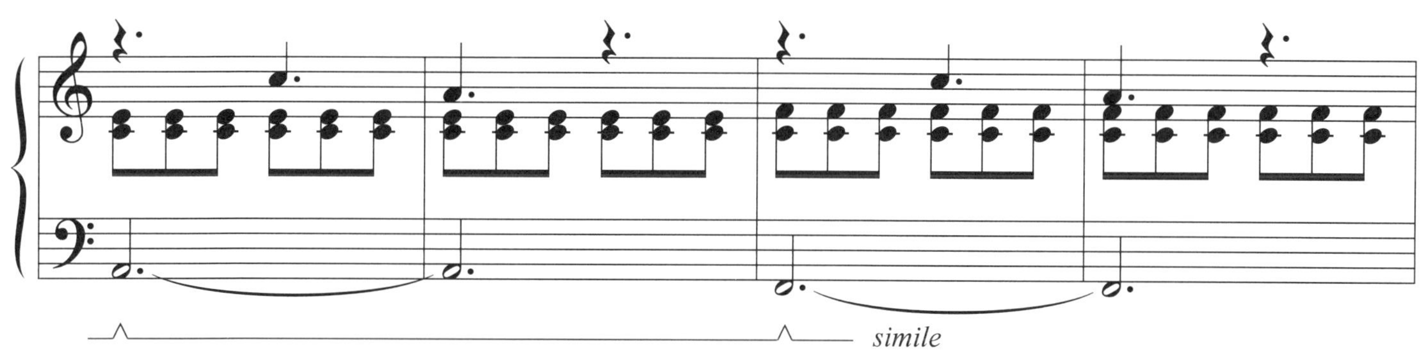

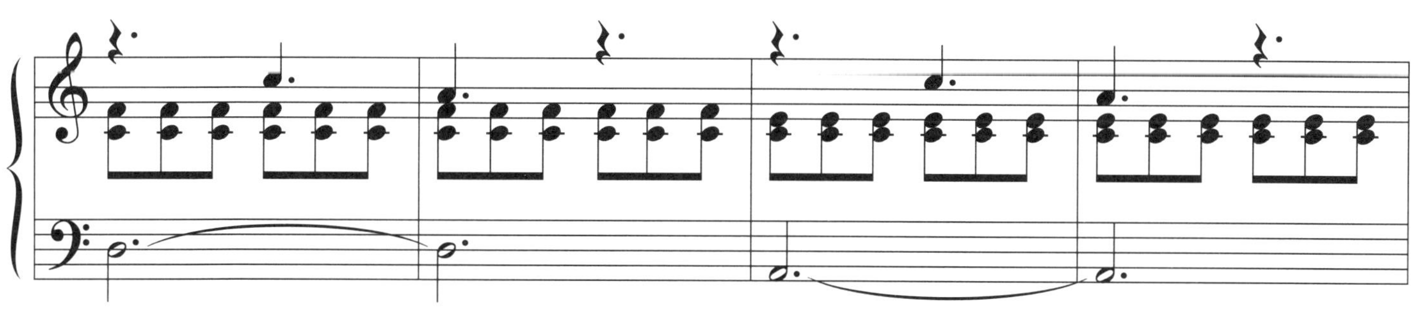

In der Stille der Nacht

In The Stillness Of The Night

16

Langsam
Slowly

Karin Groß

4 3 4 3

p

1
5

simile

1.
3 4 3

2.
4 4

rit.

An einem sonnigen Morgen

On A Sunny Morning

Karin Groß

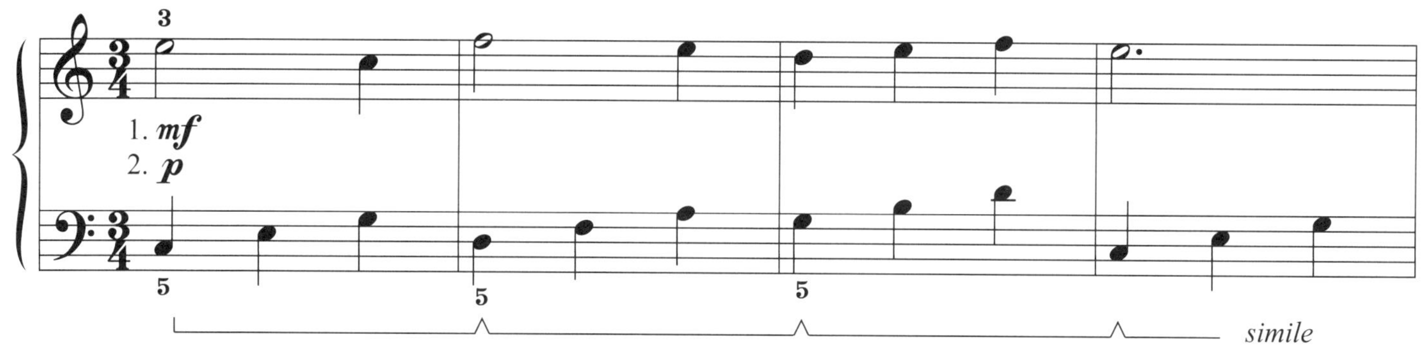

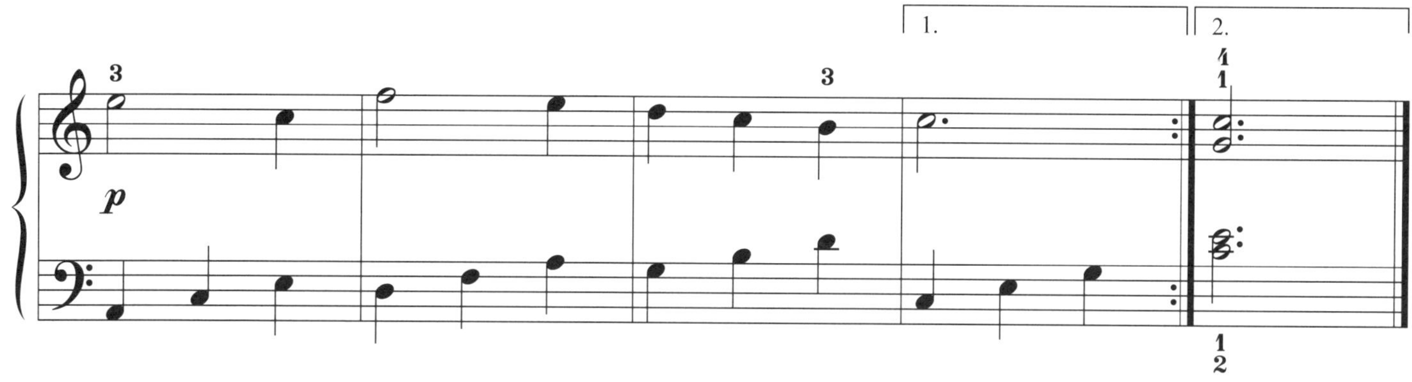

Traumfänger
Dreamcatcher

Entspannt
Leisurely

Karin Groß

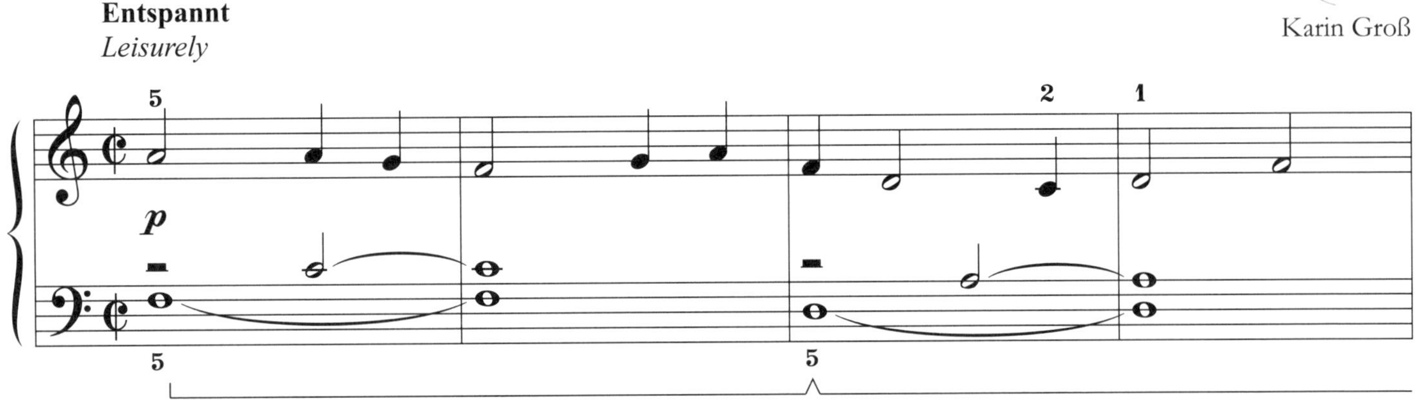

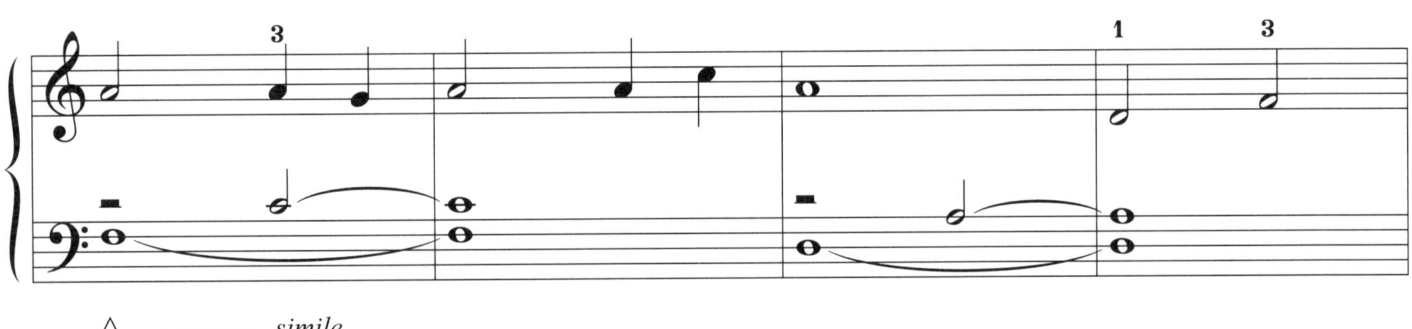

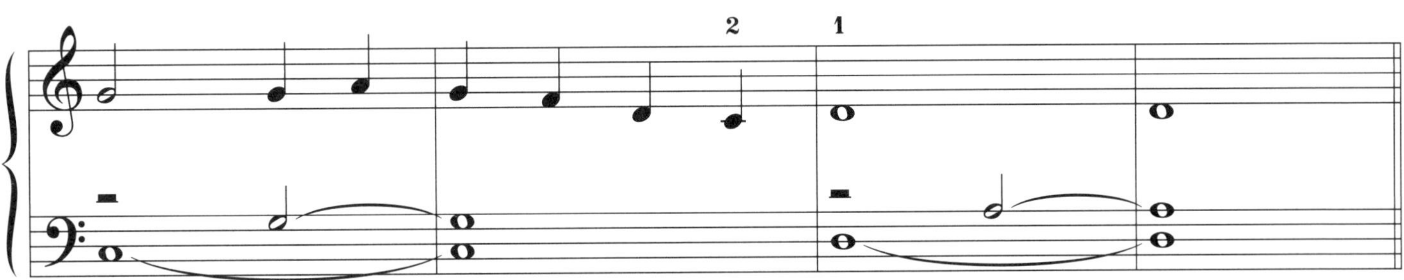

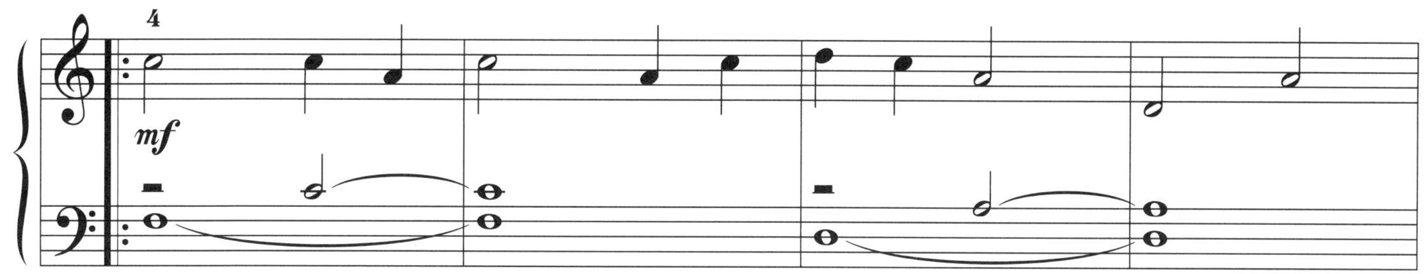
4
mf

4

4
p

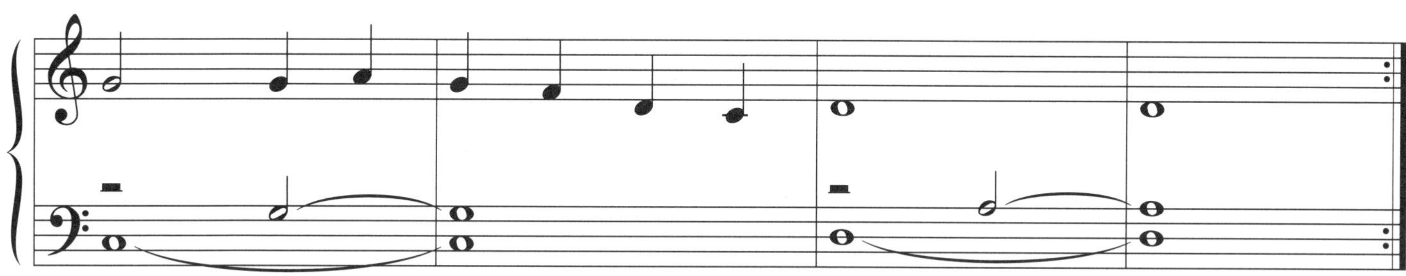

Der Kaktus

The Cactus

Keck
Jauntily

Karin Groß

* Spiele die rechte Hand bei der Wiederholung eine Oktave höher.
Play the right hand one octave higher on the repeat.

Kleines Menuett

Little Minuet

Karin Groß

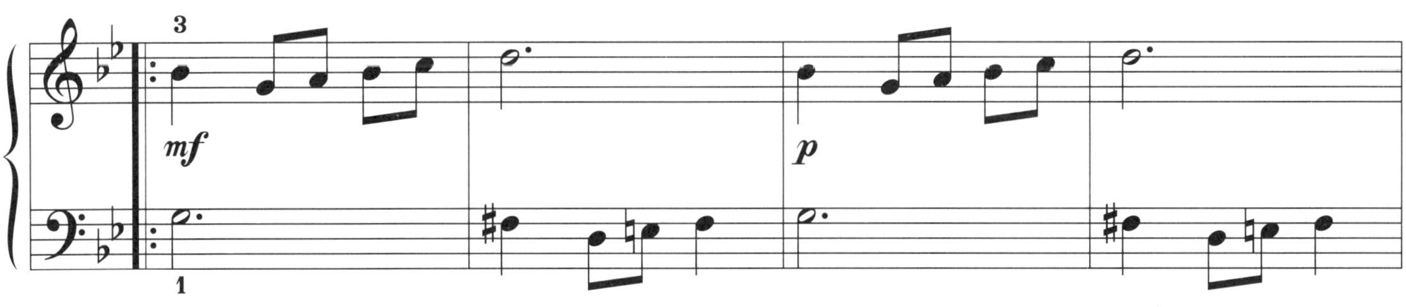

Regenbogen

Rainbow

Karin Groß

pp *mf* *simile* *rit.*

Das Geisterschiff

The Ghost Ship

Karin Groß

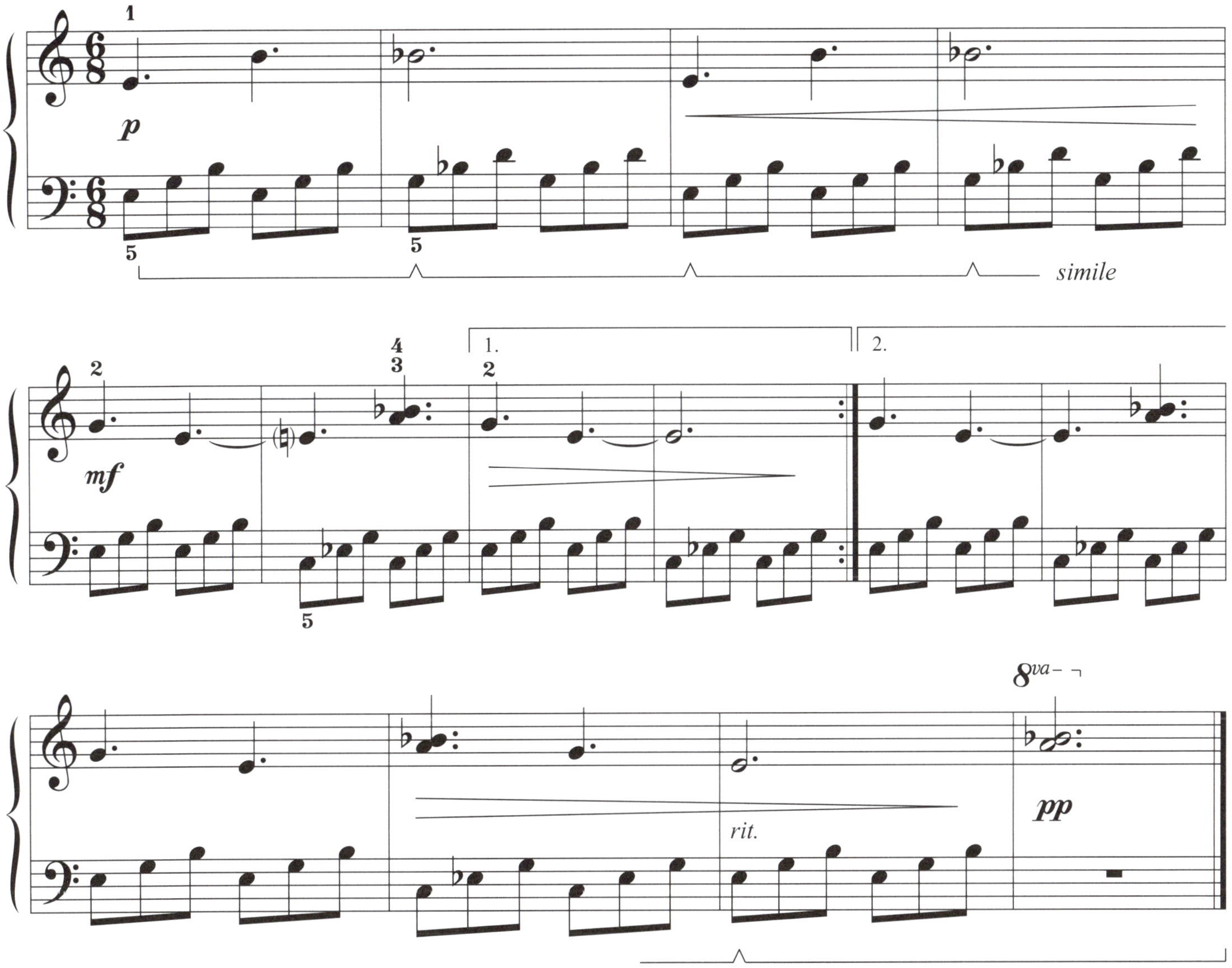

p *simile* *mf* 1. 2. 8va *rit.* *pp*

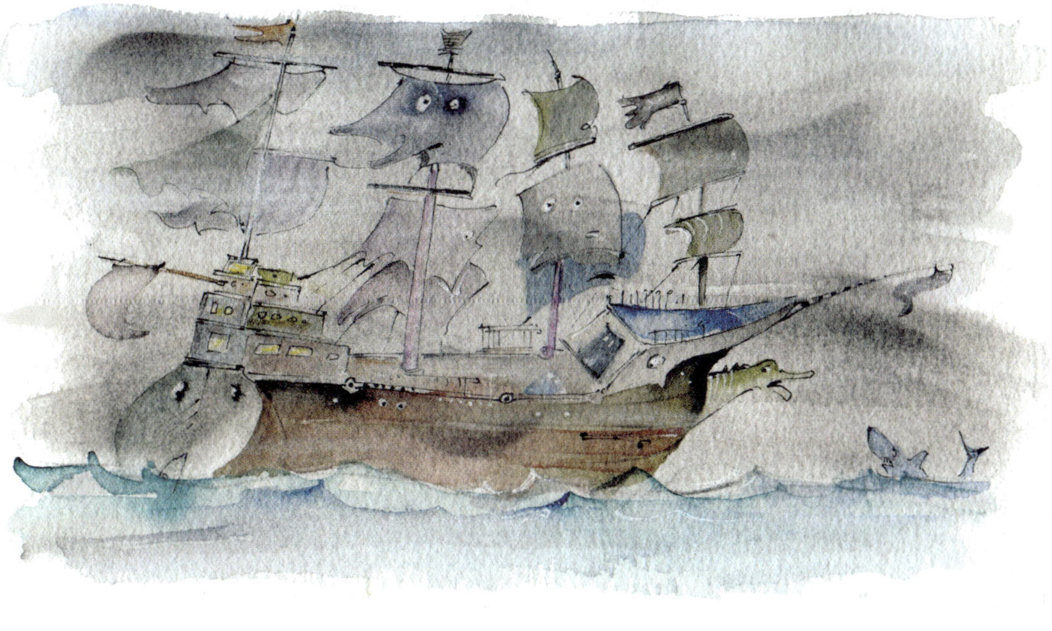

Lustiges Lied

Merry Melody

Karin Groß

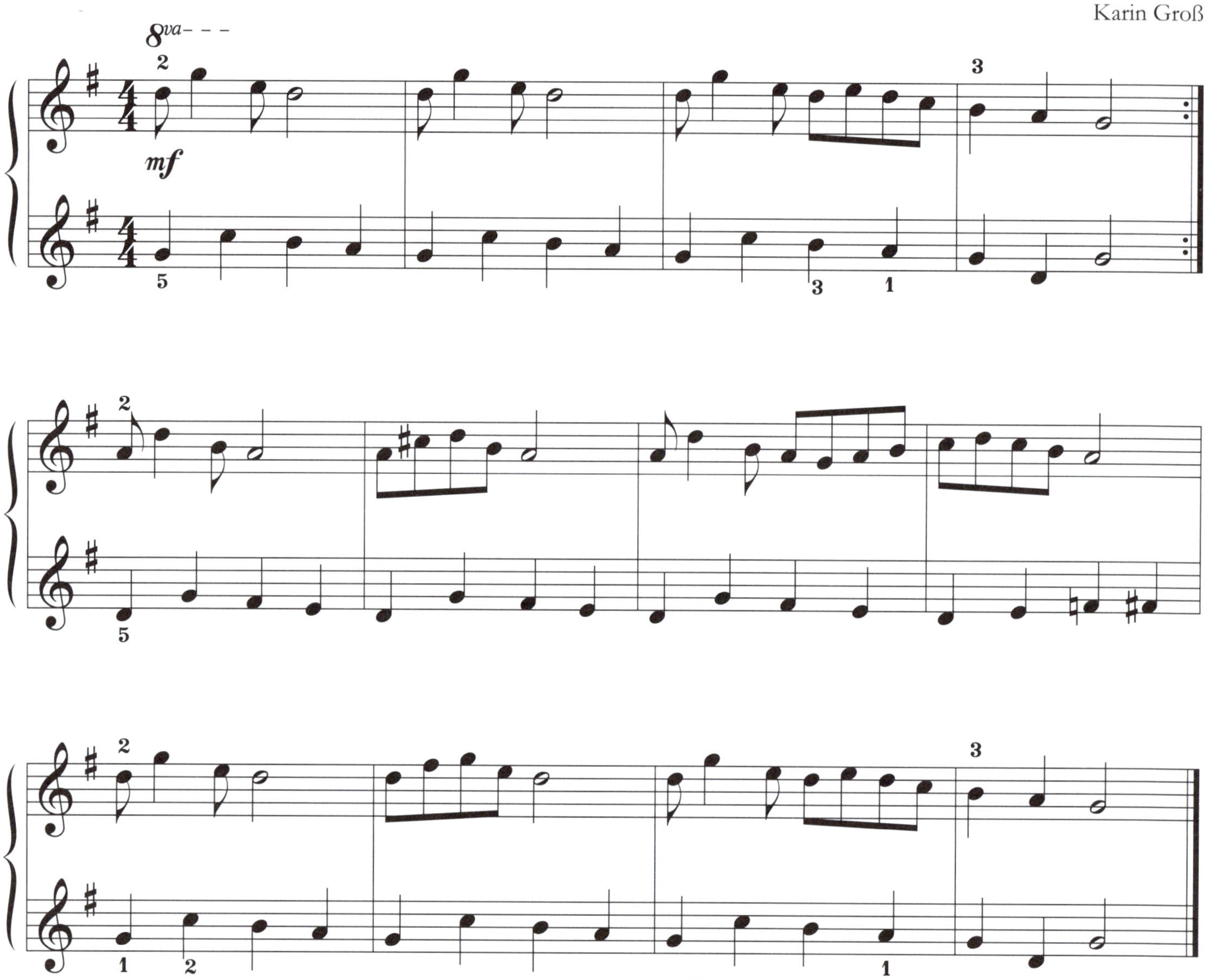

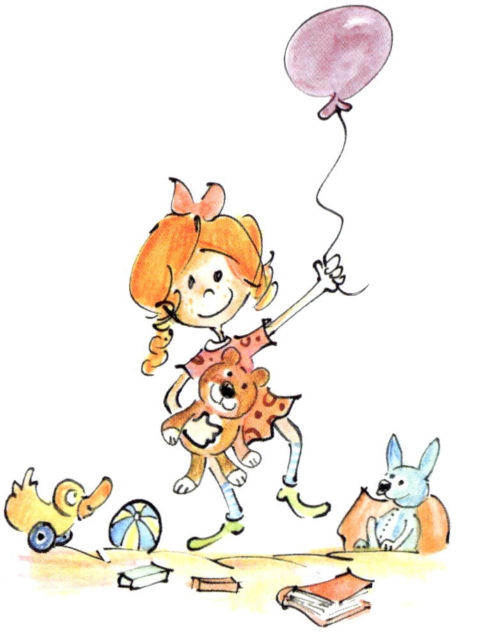

Abendstimmung

Twilight Mood

Karin Groß

Langsam
Slowly

mp

simile

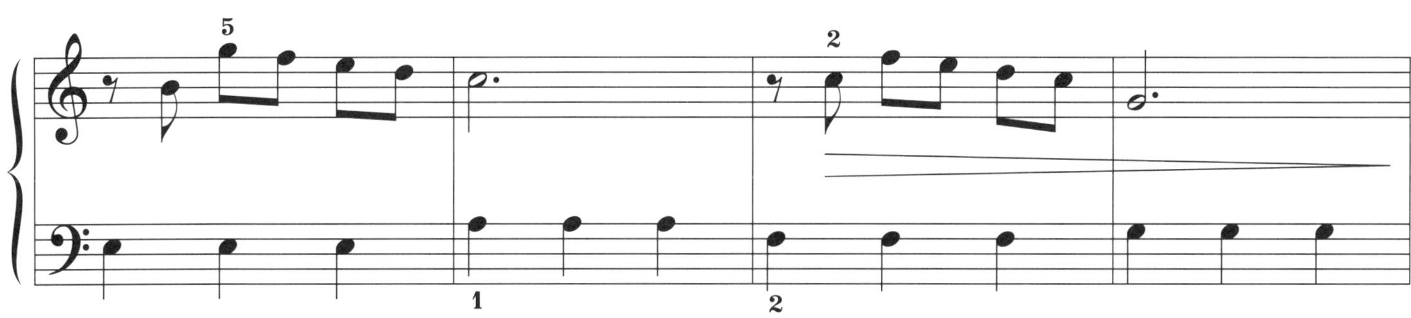

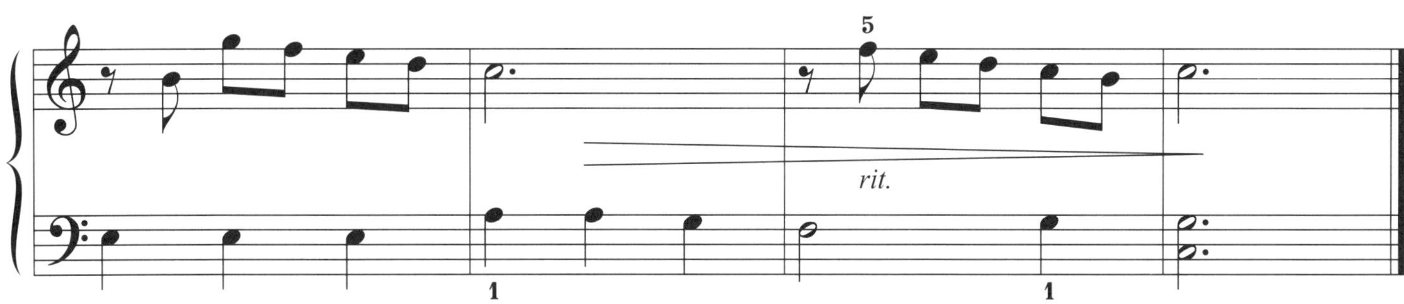

Einfach so

Just For Fun

Unbeschwert
Light-heartedly

Karin Groß

Auf einer Blumenwiese

In A Field Of Flowers

Karin Groß

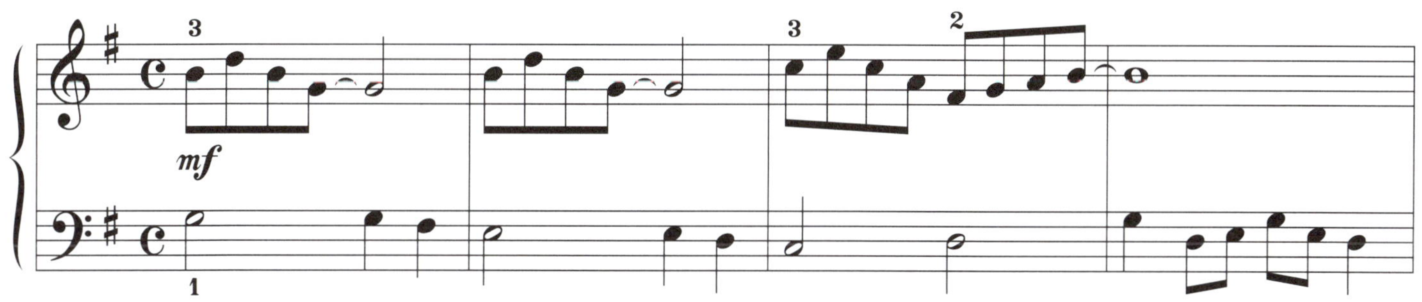

Herbstwind
Autumnal Winds

Recht schnell
At a good pace

Karin Groß

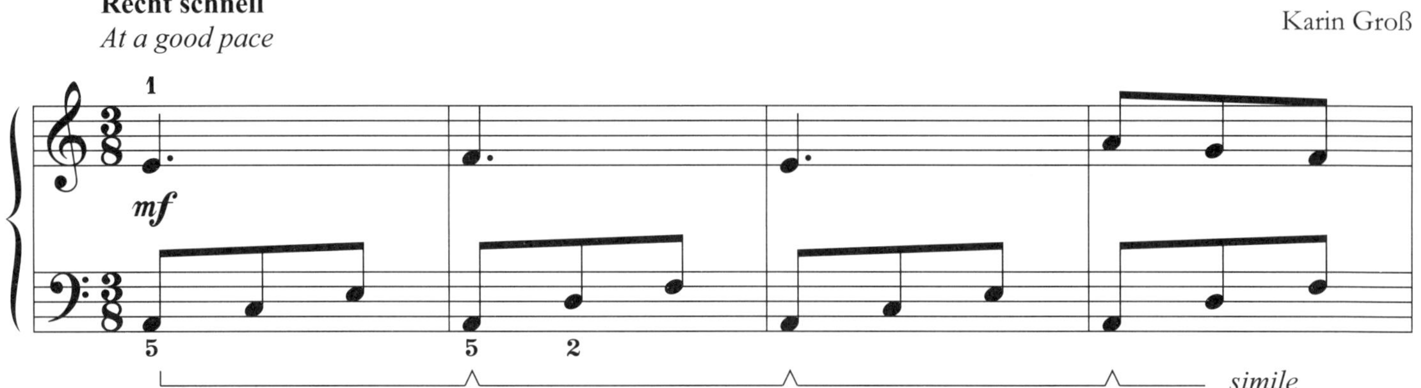

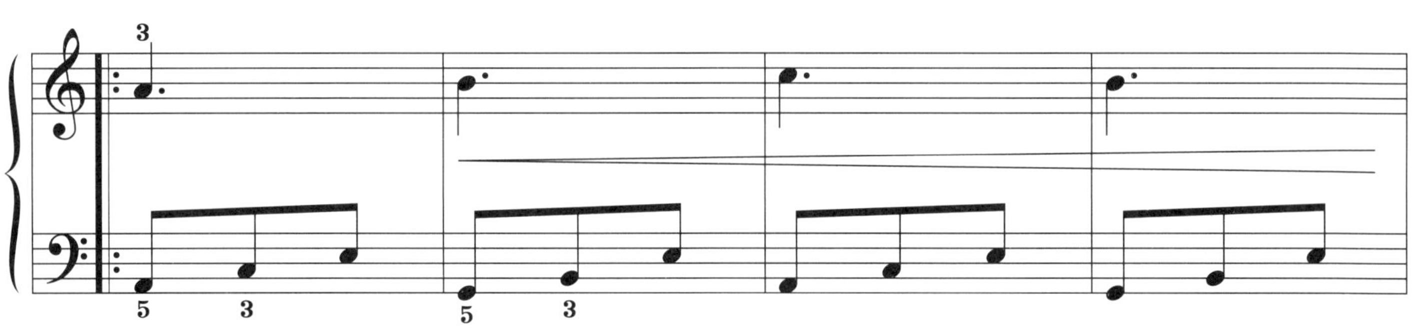

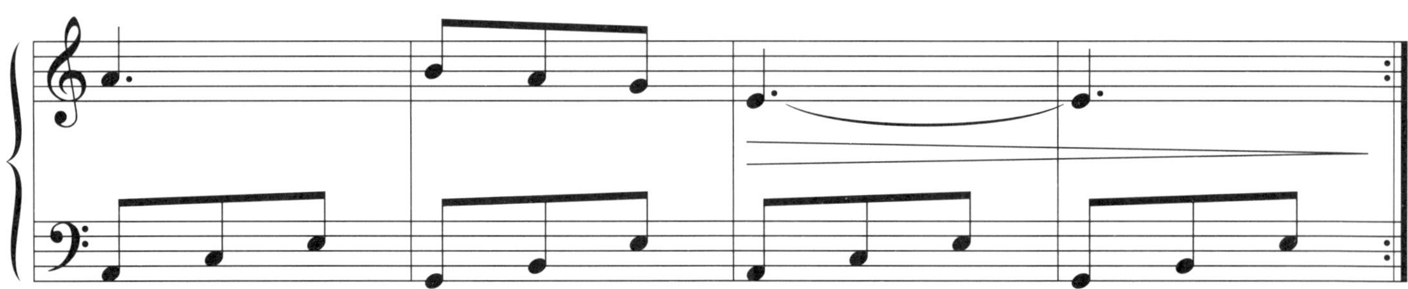

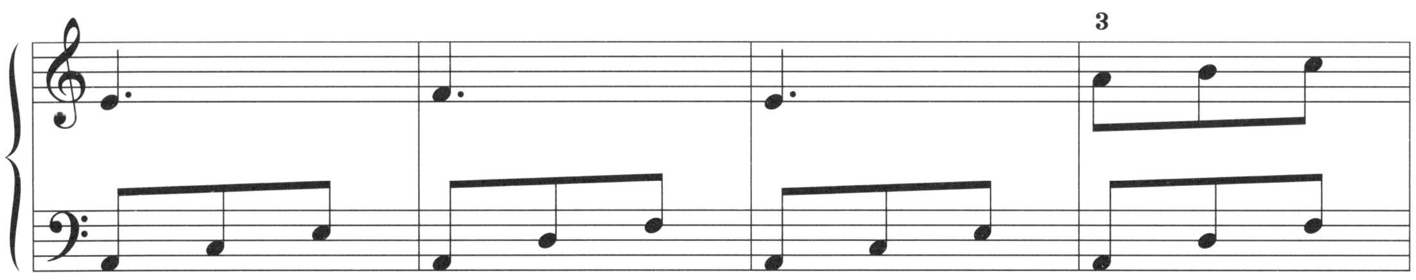
3

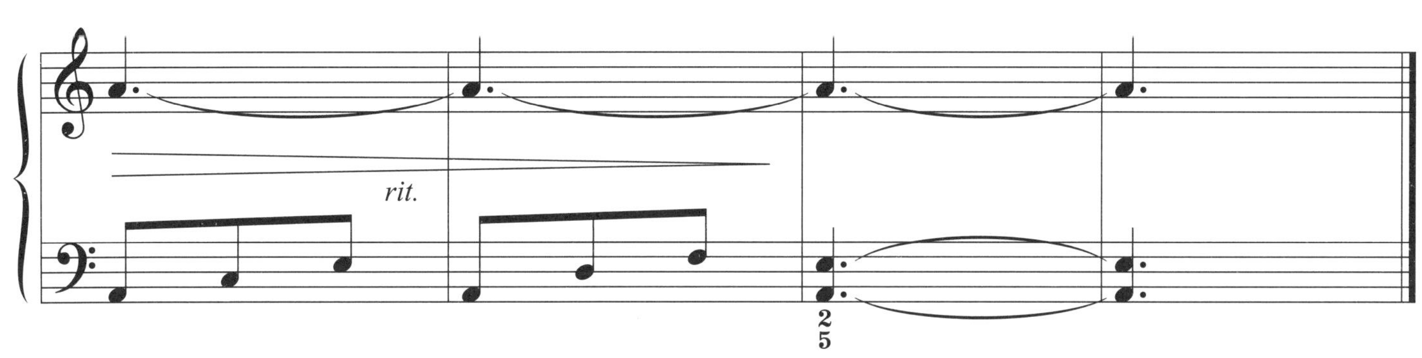
rit.
2
5

Mustangs

Karin Groß

Feurig
Fierily

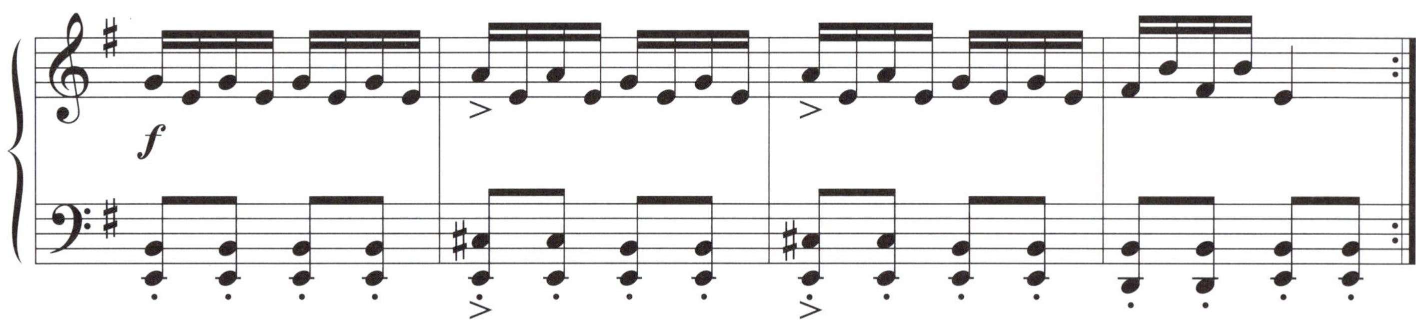

Erster Schnee

The First Snow

Karin Groß

p 3 3 5

5 3 2 5

5 3 2 5
mf

3
p

rit. pp

Die Dorfkapelle

The Village Band

Karin Groß

Behäbig
Measuredly

Hektik in der Stadt

Hustle And Bustle In The City

31

Karin Groß

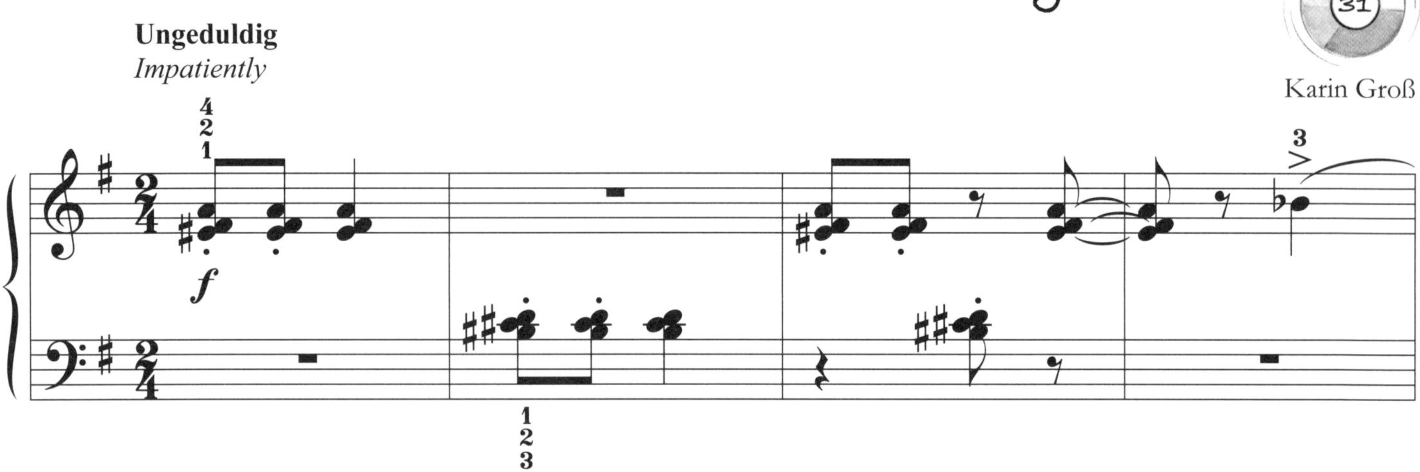

mf
f

Rocky

Karin Groß

Die Wanze lädt zum Tanze

Bop With The Bug

Mit Humor
Humorously

Karin Groß

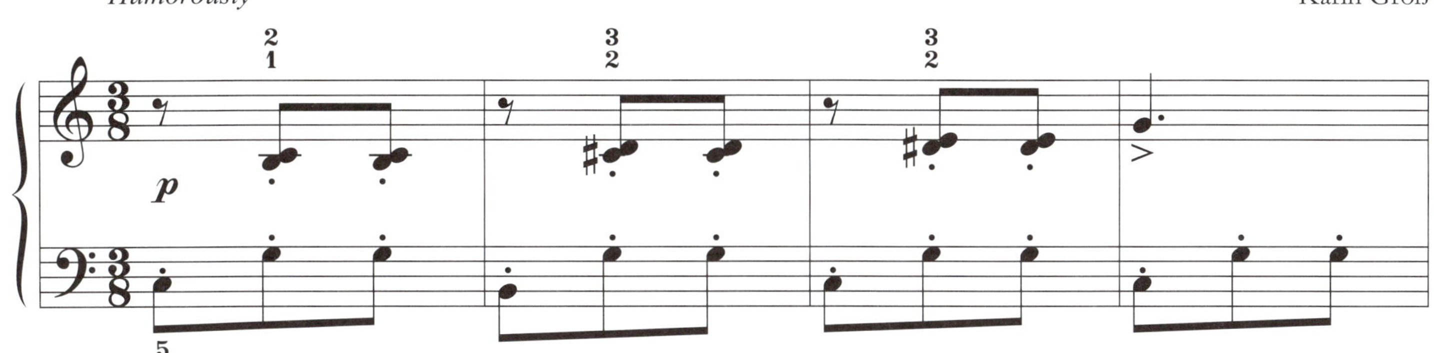

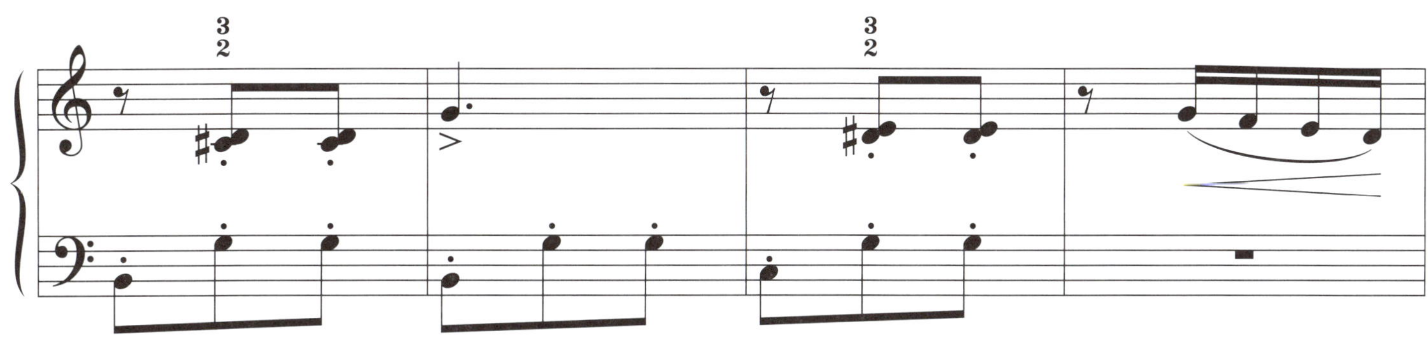

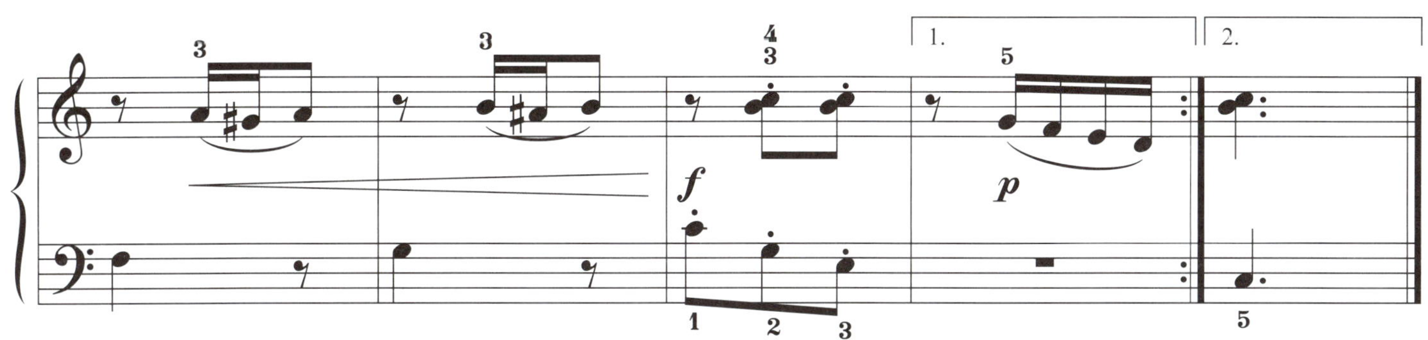

Meeresbrise

Sea Breeze

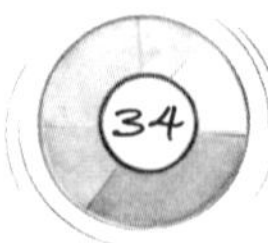

Karin Groß

Mit tiefem Atem
With deep breathing

5
p
5 1 1 1 *simile*

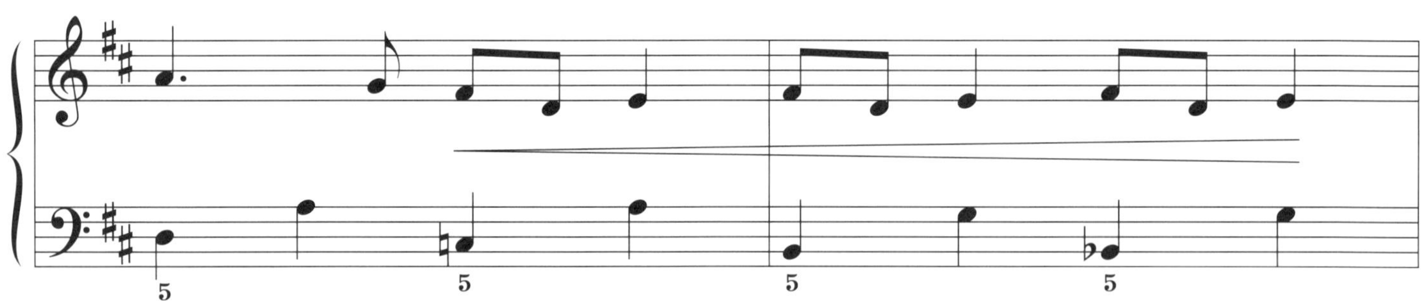

Ponyreiten
Riding Ponies

Karin Groß

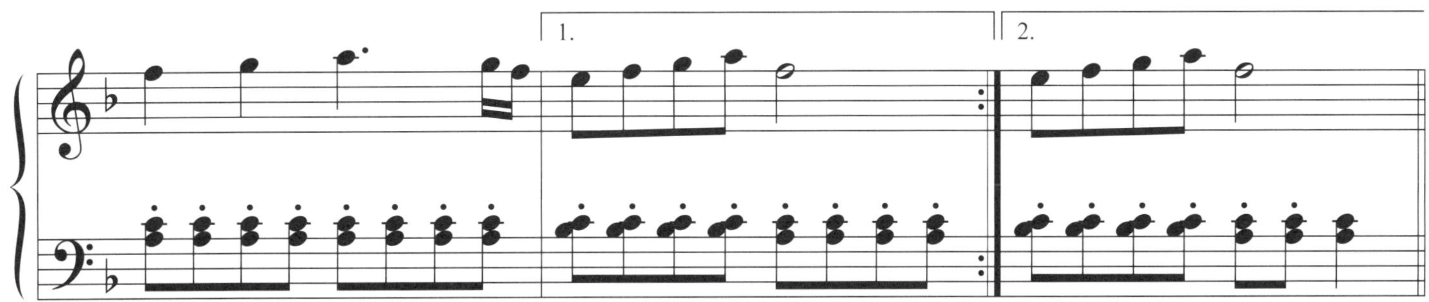

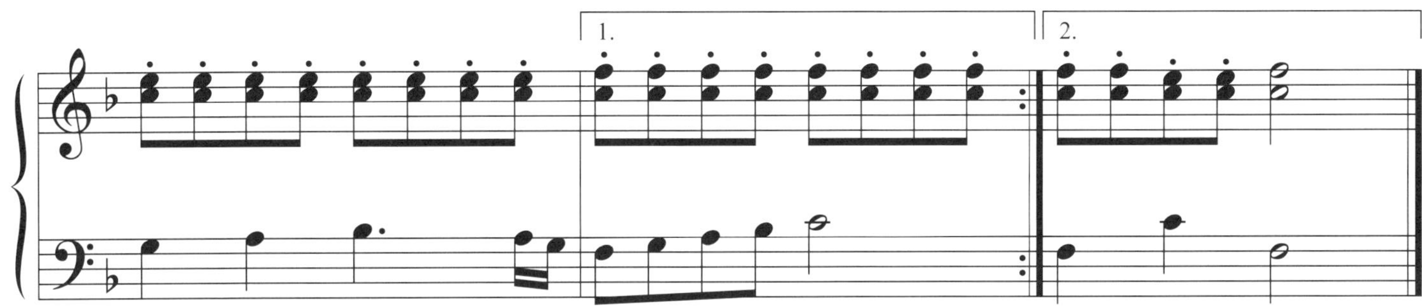

Schlafmützen-Blues

Sleepyhead Blues

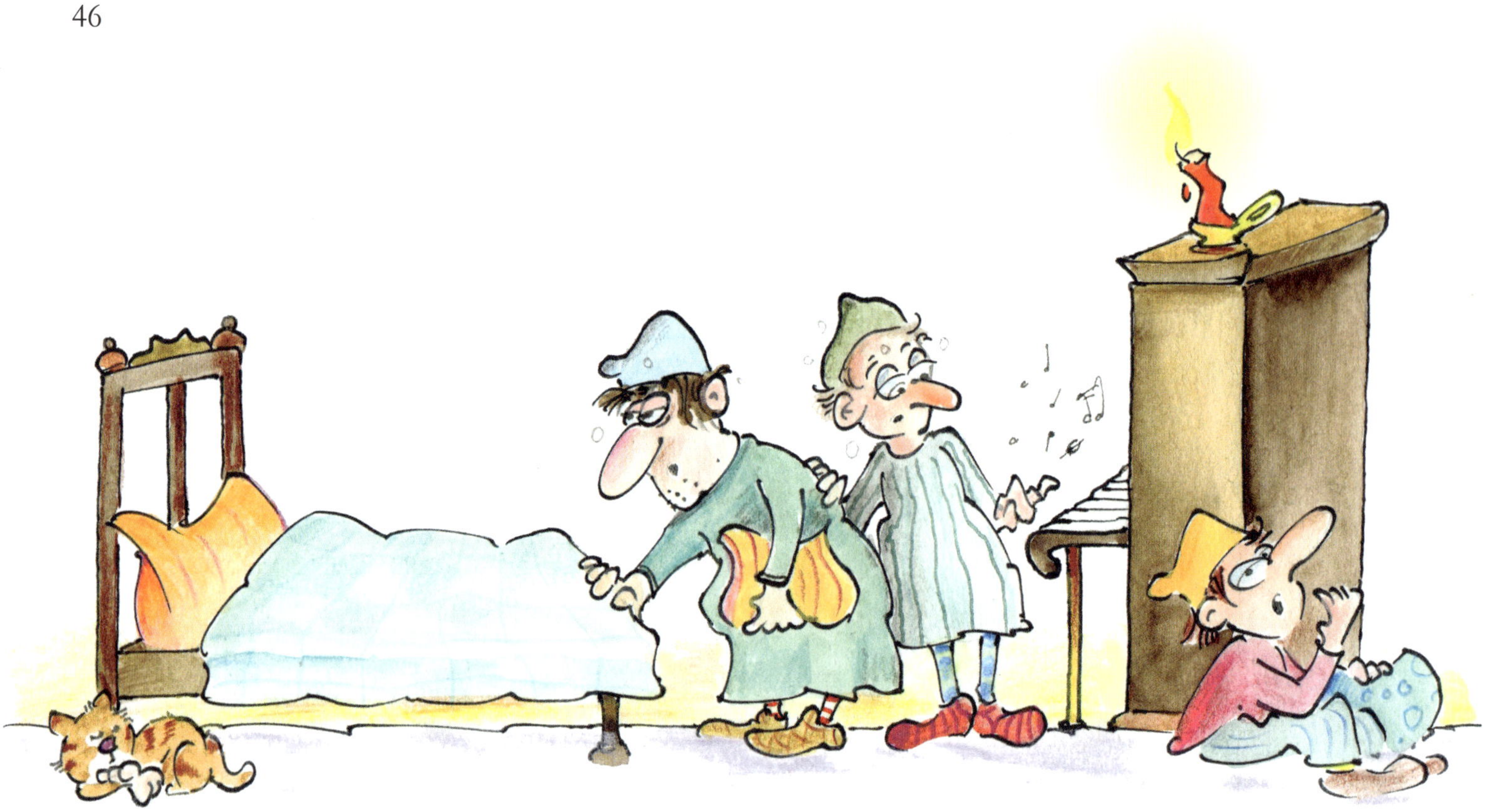

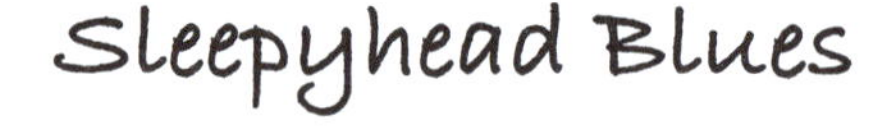

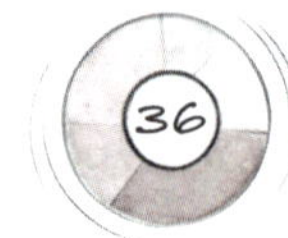

Träge
Lazily

Karin Groß

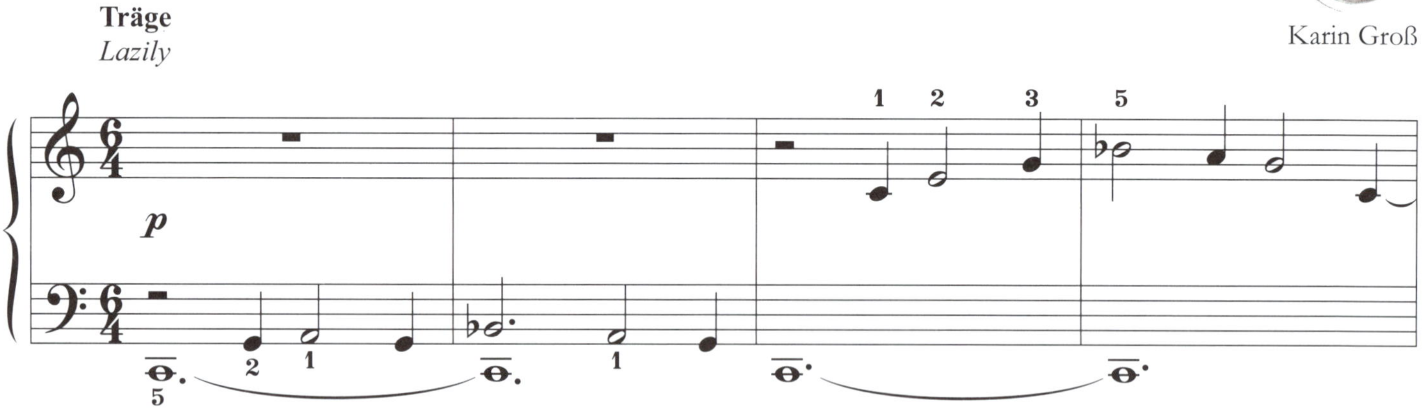

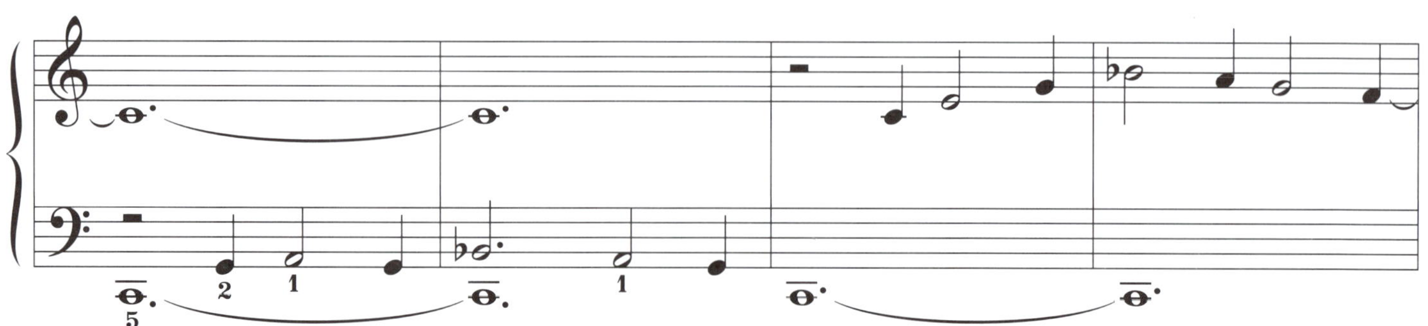

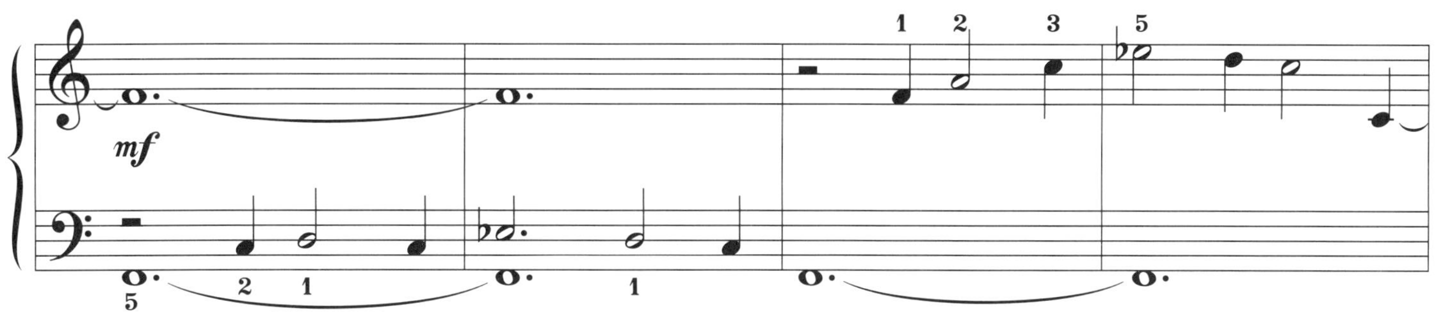
mf

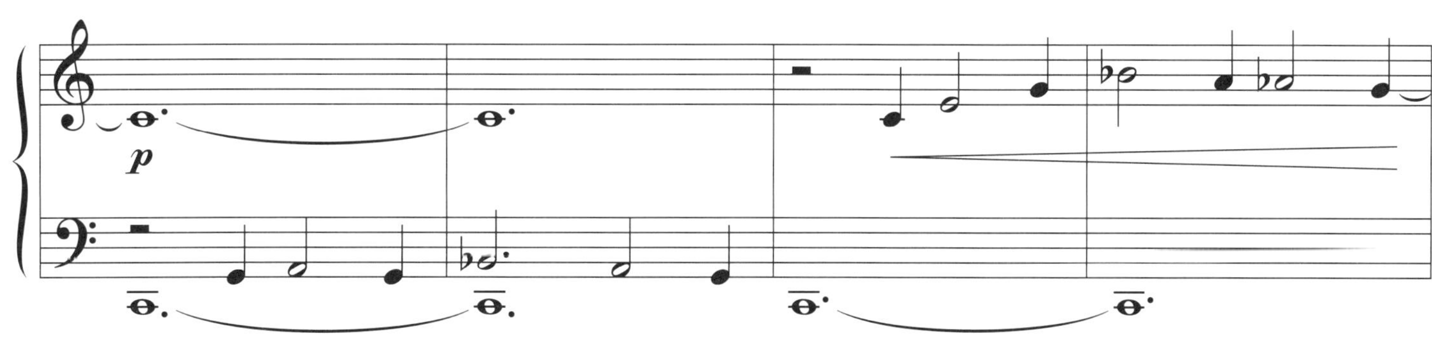
p

f
mf

p

Lauftraining

Running Practice

Karin Groß

Papierschiffchen

Little Paper Boats

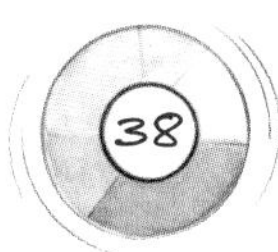

Karin Groß

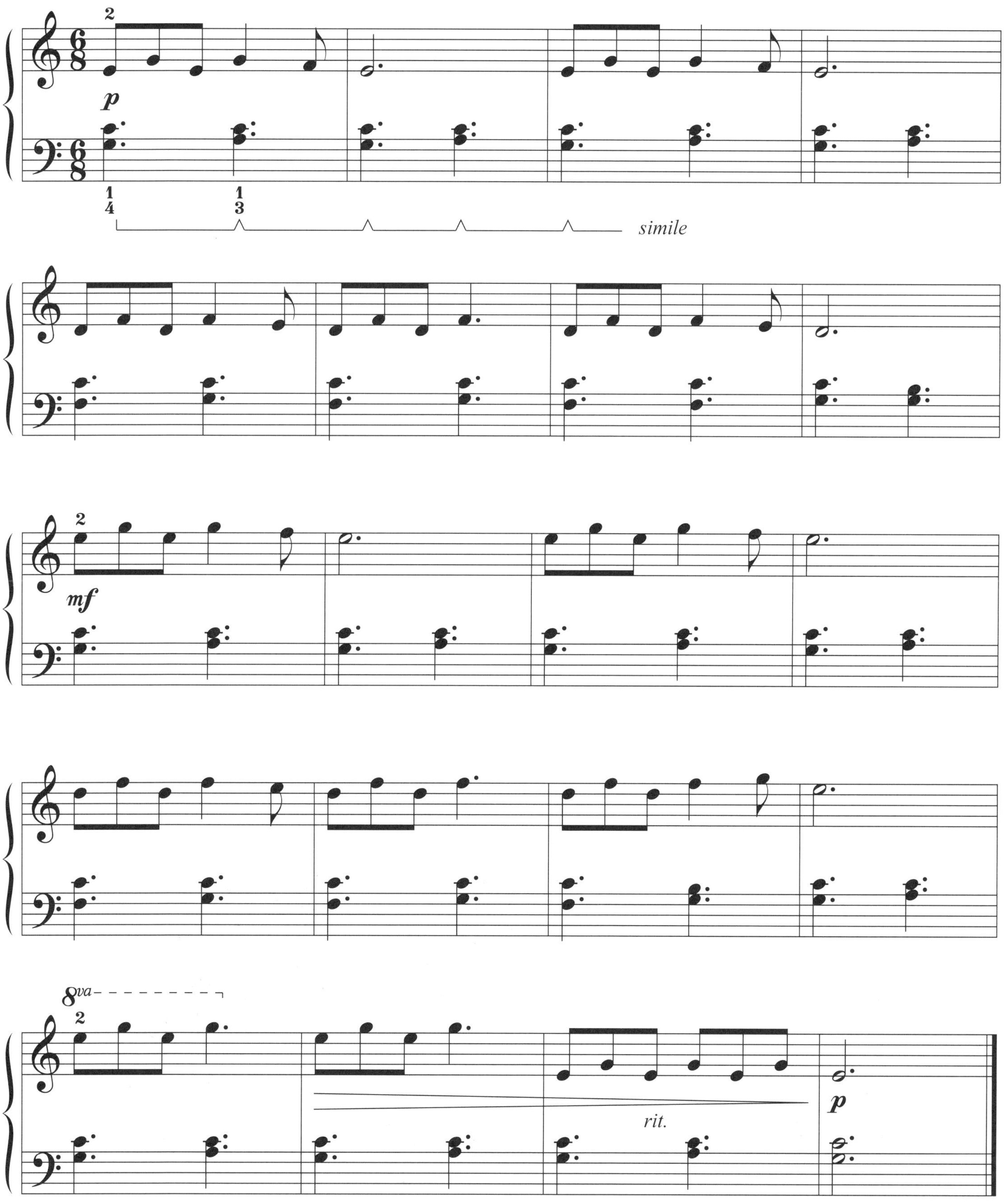

2
p
1
4
1
3
simile

2
mf

8va
2
rit.
p

Das Windspiel
Wind Chimes

Karin Groß

8va

pp

Pedal halten

1. 2.

Hexentreppen

Paper Springs

Karin Groß

Fröhlich
Merrily

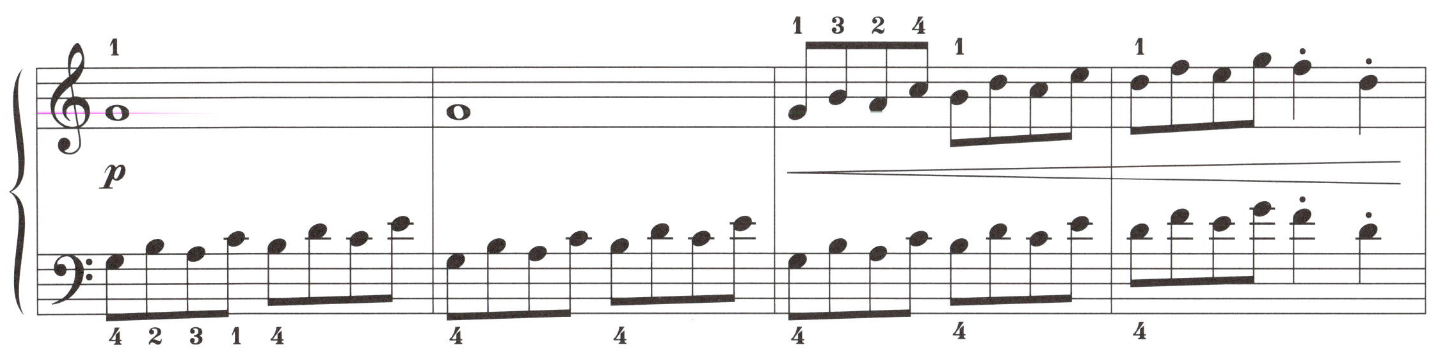

Zu guter Letzt

Farewell

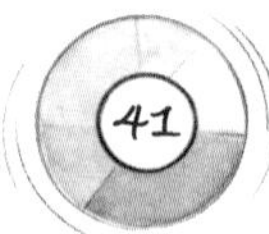

Träumerisch
Dreamily

Karin Groß

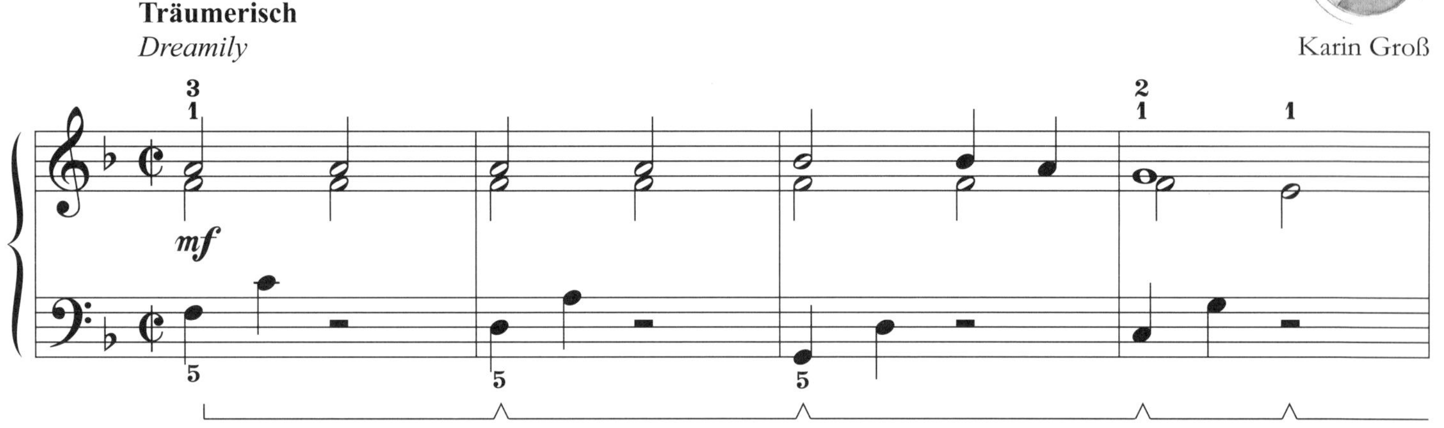

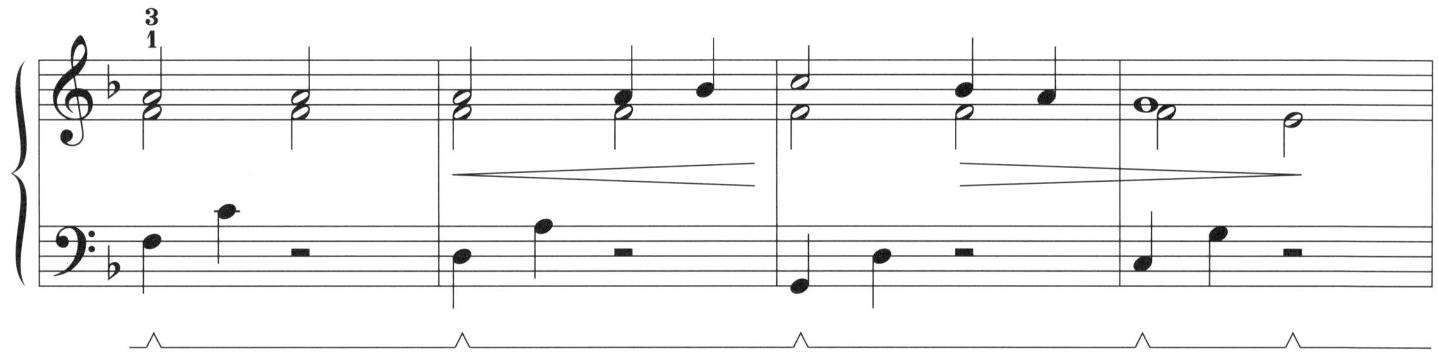

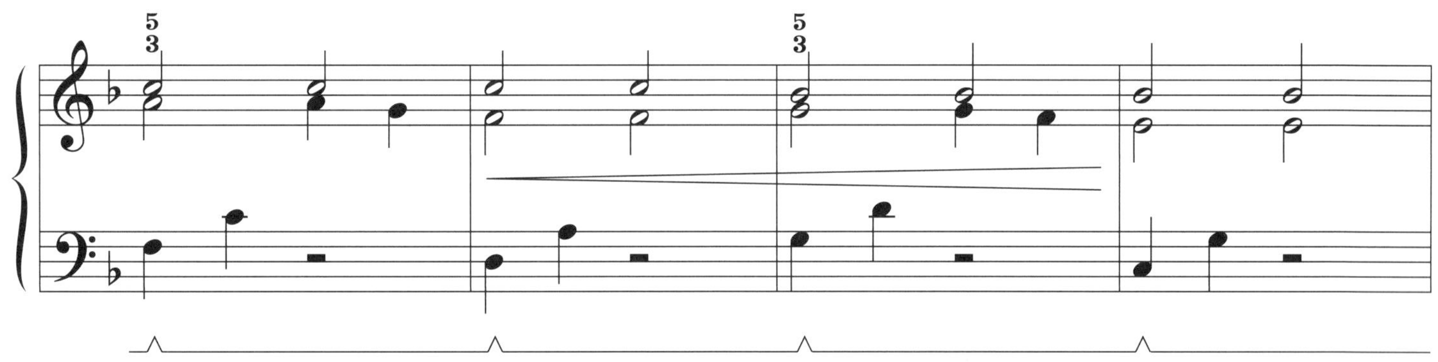

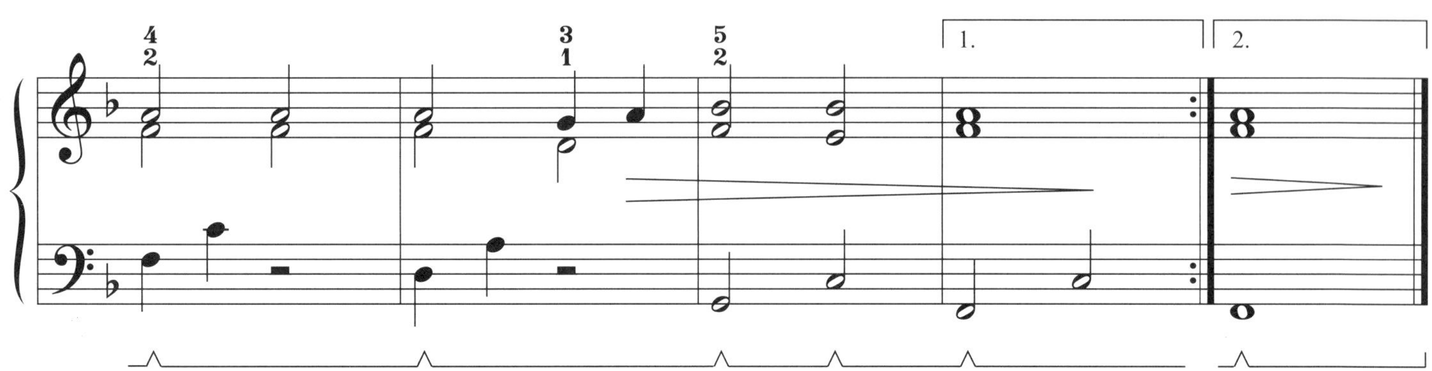